**COLEÇÃO
LEITURA E
FORMAÇÃO**

LEITURA E DESENVOLVIMENTO DA LINGUAGEM

LEITURA E DESENVOLVIMENTO DA LINGUAGEM

Autores: Ana Luiza B. Smolka
Ezequiel Theodoro da Silva
Maria da Glória Bordini
Regina Zilberman

São Paulo
2010

© ALB – Associação de Leitura do Brasil, 2010
1ª Edição, Mercado Aberto, 1989
2ª Edição, Global Editora, São Paulo 2010

Diretor-Editorial
JEFFERSON L. ALVES

Editor-Assistente
GUSTAVO HENRIQUE TUNA

Gerente de Produção
FLÁVIO SAMUEL

Coordenadora-Editorial
DIDA BESSANA

Assistentes de Produção
EMERSON CHARLES SANTOS
JEFFERSON CAMPOS

Assistente-Editorial
JOÃO REYNALDO DE PAIVA

Revisão
ANA CAROLINA G. RIBEIRO
LUCIANA CHAGAS

Foto de Capa
ROB MARMION/SHUTTERSTOCK

Projeto de Capa
REVERSON R. DINIZ

Editoração Eletrônica
TATHIANA A. INOCÊNCIO

Dados Internacionais de Catalogação na Publicação (CIP)
(Câmara Brasileira do Livro, SP, Brasil)

Leitura e desenvolvimento da linguagem / Ana Luiza B. Smolka... [et. al.]. – 2. ed. – São Paulo : Global; Campinas, SP : ALB – Associação de Leitura do Brasil, 2010. (Coleção Leitura e Formação).

Outros autores: Ezequiel Theodoro da Silva, Maria da Glória Bordini, Regina Zilberman.
Bibliografia.
ISBN 978-85-260-1477-0

1. Leitura. 2. Letramento. 3. Literatura. 4. Pedagogia. 5. Psicologia do desenvolvimento. I. Smolka, Ana Luiza B. II. Silva, Ezequiel Theodoro da. III. Bordini, Maria da Glória. IV. Zilberman, Regina.

10-03302   CDD-370

Índices para catálogo sistemático:
1. Leitura e desenvolvimento da linguagem   370

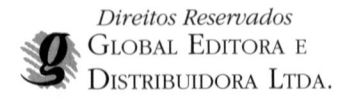

Direitos Reservados
GLOBAL EDITORA E DISTRIBUIDORA LTDA.

Rua Pirapitingui, 111 – Liberdade
CEP 01508-020 – São Paulo – SP
Tel.: (11) 3277-7999 – Fax: (11) 3277-8141
e-mail: global@globaleditora.com.br
www.globaleditora.com.br

Obra atualizada conforme o **Novo Acordo Ortográfico da Língua Portuguesa**

Colabore com a produção científica e cultural.
Proibida a reprodução total ou parcial desta obra sem a autorização do editor.

Nº de Catálogo: **3171**

LEITURA E DESENVOLVIMENTO
DA LINGUAGEM

Bastian olhou para o livro.

"*Gostaria de saber', disse para si mesmo, 'o que se passa dentro de um livro quando ele está fechado. É claro que lá dentro só há letras impressas em papel, mas, apesar disso, deve acontecer alguma coisa, porque quando o abro, existe ali uma história completa. Lá dentro há pessoas que ainda não conheço, e toda espécie de aventuras, feitos e combates – e muitas vezes há tempestades no mar, ou alguém vai a países e cidades exóticos. Tudo isso, de algum modo, está dentro do livro. É preciso lê-lo para o saber, é claro. Mas antes disso, já está lá dentro. Gostaria de saber como...*"

E, de repente, sentiu que aquele momento tinha algo de solene.

Endireitou-se no assento, pegou o livro, abriu-o na primeira página e começou a ler.

Michael Ende, *A história sem fim*, p. 10-11.

SUMÁRIO

Prefácio à segunda edição 11

Apresentação
Ezequiel Theodoro da Silva 15

O escritor lê o leitor, o leitor escreve a obra
Regina Zilberman 17

A atividade da leitura e o desenvolvimento das crianças: considerações sobre a constituição de sujeitos-leitores
Ana Luiza B. Smolka 37

Partilha e conflito de interpretações: um caminho para o desenvolvimento da linguagem do leitor infantil
Ezequiel Theodoro da Silva 67

Poesia e consciência linguística na infância
Maria da Glória Bordini 81

PREFÁCIO À SEGUNDA EDIÇÃO

A primeira edição de *Leitura e desenvolvimento da linguagem* saiu em 1989 pela Editora Mercado Aberto, de Porto Alegre, na Série Novas Perspectivas. Rapidamente esgotada em decorrência de sua relevância para uma compreensão crítica dos diferentes elementos constituintes do processo de leitura, a obra ficou à espera de outra editora que decidisse mantê-la no mercado. Ao surgir a Coleção Leitura e Formação, numa parceria entre a Editora Global e a Associação de Leitura do Brasil (ALB), o livro foi imediatamente incorporado pelos responsáveis no intuito de amplificar, por meio de uma nova edição, quatro reflexões de suma importância ao avanço dos estudos sobre leitura em nosso país.

O eixo que une os quatro textos desta obra giram em torno da perspectiva dialógica e criativa da leitura. Em termos contextuais, cruzam-se aqui os horizontes da literatura (romance e poesia), da psicologia do desenvolvimento, da teoria do discurso e da pedagogia. Os paradigmas teóricos utilizados pelo quarteto nunca perdem de vista a complexidade das práticas de leitura no horizonte das dinâmicas de comunicação e de produção da linguagem.

Regina Zilberman explica que "(...) a obra literária é uma formação porosa, porque constituída de vazios a serem preenchidos pelo leitor. Assim, embora compreensível, o texto é incompleto, pois ele nunca exaure seu objeto, cujo significado se efetua quando o leitor ali deposita seu conhecimento e experiência." Mediante a análise de um excerto do conto "O caso da vara", de Machado de Assis, Zilberman mostra como o leitor é induzido a criar um outro texto na incursão que faz durante a leitura.

Ana Luiza B. Smolka caracteriza a leitura como mediação, memória e prática social, sustentando suas afirmações em Leontiev e Vygotsky. A autora lança mão de observações de crianças em situação de aprendizagem da leitura para tornar patente o fato de que "(...) no processo de apropriação do código escrito como objeto de conhecimento, as crianças internalizam papéis, funções e posições sociais, apreendendo modos de agir, de pensar e de dizer as coisas. Como se lê, para que se lê, o que se pode e o que não se pode ler, quem lê, quem sabe, quem pode aprender, são procedimentos implícitos, não ensinados, mas internalizados no jogo das relações interpessoais.

A reflexão de Maria da Glória Bordini aprofunda os polos da produção e da recepção da poesia infantil. Revela que a poesia pode, pela fruição estética, tornar-se uma importantíssima fonte de conscientização do leitor-criança quanto ao fenômeno da linguagem. Críticas são tecidas pela autora quanto às formas pelas quais a poesia é apresentada e trabalhada pela escola: "(...) a poesia não é escola, não quer ensinar a linguagem e não suporta ser tratada como objeto de estudo gramatical". Vários poemas infantis são usados no entremeio do artigo a fim de exemplificar os princípios pedagógicos que são apresentados nas entrelinhas da reflexão.

De minha parte, falando como coautor deste livro, tentei fazer ver que o professor, no momento do ensino da leitura, deve ouvir e cruzar as vozes dos estudantes depois da fruição dos textos. Quer dizer: escutar sensivelmente as interpretações oriundas do grupo de estudantes no intuito de produzir novas sínteses para os materiais lidos. Fazer justiça à polissemia da literatura e incentivar a participação criativa do grupo, ativando as interlocuções entre os estudantes e atuando como catalisador que recolhe e adensa os pontos de vista sobre os textos.

Quando os quatro autores foram perguntados se desejavam modificar seus textos para uma nova edição, todos fomos unânimes em descartar essa necessidade, mesmo porque o material permanece muito oportuno. Não podemos negar que muitas águas passaram por debaixo da ponte de 1989 para cá; entretanto, uma dessas águas, a que simboliza a educação e a leitura no Brasil, não melhorou muito; pelo contrário, ela lamentavelmente permanece turva e lamacenta, com um número até maior de detritos, ou melhor, de desafios para serem enfrentados pela pesquisa e pela reflexão teórica. Daí considerarmos que a obra ainda é capaz de atender aos critérios de atualidade e suas proposições podem sem dúvida servir para algumas orientações seguras ao encaminhamento das práticas de leitura no espaço da escola.

Ezequiel Theodoro da Silva
Campinas, março de 2010

APRESENTAÇÃO

A natureza dialógica da leitura reclama por uma pedagogia dialógica nas nossas escolas. Uma pedagogia que abra espaço para encontros culminantes entre os leitores e os textos. Encontros nos quais a experiência de leitura, em si mesma, incremente o conhecimento do mundo e a competência linguística dos leitores.

A pedagogia dialógica nas nossas escolas reclama por uma postura dialógica dos professores. Uma postura que facilite a socialização das experiências que resultam da fruição dos textos. Uma postura honesta e sinceramente preocupada com o crescimento intelectual e linguístico dos leitores.

A postura dialógica dos professores reclama por um conhecimento crítico dos alunos-leitores. Um conhecimento decorrente do estudo de diferentes fontes e da convivência concreta com aqueles que conversam com os livros. Um respeito que implica principalmente ouvir e escutar as vozes dos leitores.

A perspectiva dialógica perpassa e amarra todas as reflexões contidas neste livro...

Ezequiel Theodoro da Silva
Campinas, junho de 1989

O escritor lê o leitor, o leitor escreve a obra

Regina Zilberman

> *Por que dar fim a histórias?*
> *Quando Robinson Crusoé deixou a ilha,*
> *que tristeza para o leitor do Tico-Tico.*
> *Era sublime viver para sempre com ele e*
> *com Sexta-Feira,*
> *na exemplar, na florida solidão,*
> *sem nenhum dos dois saber que eu estava*
> *aqui.*
>
> Carlos Drummond de Andrade

Numa das cenas de *Doidinho*, romance de José Lins do Rego, o protagonista e narrador relembra as ocasiões em que o professor o fazia ler em voz alta trechos da *Seleta clássica*, livro didático em voga nas escolas brasileiras do início do século:

— Leia.

Era um pedaço de *Seleta clássica,* que até me divertia. Lá vinha o Paquequer rolando de cascata em cascata, do trecho de José de Alencar. Havia um pedaço sobre Napoleão. (...) A "Queimada" de Castro Alves e o *há dous mil anos te mandei meu grito* das "Vozes da África". E a história do lavrador que antes de morrer chamara os filhos para um conselho. (...) Esses trechos da *Seleta clássica,* de tão repetidos, já ficavam íntimos da minha memória.[1]

Outros escritores brasileiros documentam recepção similar de obras conhecidas através dos livros didáticos. Mario Quintana recorda outra seleta, a de Alfredo Clemente Pinto, muito popular no Rio Grande do Sul até os anos 1950:

Esse Marquês de Maricá do compêndio de leitura dava-nos conselhos... compendiosos... – verdadeira chatice, aliás,... como se não bastassem os conselhos de casa!

Felizmente para a turma, o resto não era nada disso, pois tratava-se da *Seleta em prosa e verso,* de Alfredo Clemente Pinto, um mundo... quero dizer, o mundo!

Logo ali, à primeira página, o bom Cristóvão Colombo equilibra para nós o ovo famoso e, pelas tantas, vinha Nossa Senhora dar o famoso estalinho no coco duro daquele menino que um dia viria a ser o Padre Antônio Vieira.

Porém, em meio e alheio a tais miudezas, bradava o poeta Gonçalves de Magalhães:

"Waterloo! Waterloo! lição sublime!"

---

[1] REGO, José Lins do. *Doidinho.* Rio de Janeiro: Nova Fronteira, 1984. p. 43.

> Só esta voz parece que ficou, porque era em verso. Era a magia do ritmo... e continua ressoando pelos corredores mal-iluminados da memória. (Em vão tenho procurado nos sebos um exemplar da *Seleta*...)
>
> Sim, havia aulas de leitura naquele tempo. A classe toda abria o livro na página indicada, o primeiro da fila começava a ler e, quando o professor dizia "adiante!", ai do que estivesse distraído, sem atinar o local do texto! Essa leitura atenta e compulsória seguia assim, banco por banco, do princípio ao fim da turma.
>
> E como a gente aprende a escrever lendo, da mesma forma que aprende a falar ouvindo, o resultado era que – quando necessário escrever um bilhete, uma carta – nós, os meninos, o fazíamos naturalmente, ao contrário de muito barbadão de hoje. E havia, também, os ditados. E, uma vez por mês, a prova de fogo da redação.[2]

Affonso Romano de Sant'Anna, por sua vez, vale-se da memória dos tempos de colégio, para redigir o poema "O burro, o menino e o Estado Novo", construído desde colagens dos trechos literários mais repetidos nos livros didáticos, que se misturam aos sentimentos controversos que provocavam no menino de então:

> Eu me lembro, eu me lembro, era pequeno
> o mar bramia e o meu desejo entre as pernas da vizinha
> já latia. Mas por que tenho que ser o responsável

---

[2] QUINTANA, Mario. Leitura: redação. In: *A vaca e o hipogrifo*. Porto Alegre: Garatuja, 1977. p. 127-128.

pelo certo e o torto? e além do "Cão Veludo" – magro,
asqueroso, revoltante e imundo
— ser também "O Pequenino Morto"?
Não, não quero ficar aqui empacado ao pé da serra
perdendo o melhor da festa
— sigo para a "Última Corrida de Touros em
Salvaterra".
Sou um índio guarani cantando óperas
na fúria das ditaduras? Não. não quero ficar aqui com
alma arrebanhada
quero "O Estouro da Boiada". Cansei
de ser aquele menino com o dedinho estúpido
num dique seco da Holanda
— que inundem os campos de tulipa
numa florida ciranda.
....
Passam-se as horas.
Terminou a redação? a ditadura? a escola?
Minha alma infantil quer recreio
pernas livres, grito ao sol, desalinhados cabelos,
pão com manteiga, queijo e democracia no
meio.[3]

A memória dos escritores traz à tona práticas escolares da primeira metade do século XX em nosso país: o uso das

---

[3] SANT'ANNA, Affonso Romano de. O burro, o menino e o Estado Novo. In: LADEIRA, Julieta de Godoy (Org.). *Lições de casa:* exercícios de imaginação. São Paulo: Cultura, 1978. p. 29, 41.

seletas, reunindo textos exemplares, mas repetidos de uma coletânea para outra; a reprodução em voz alta dos trechos escolhidos; o emprego desse material como base para o trabalho escrito, a redação de outros textos, mimetizando o modelo conhecido via leitura. Parece divergente a reação dos virtuais beneficiários dessa metodologia de ensino ante sua aplicação, alguns apreciando, outros não; mas unitária sua utilização, correspondendo às expectativas depositadas na educação brasileira por pedagogos e professores, conforme indicam vários documentos que cobrem período similar.

Num livro didático de 1923, destinado a professoras do ensino primário, detalha-se o modelo de leitura em voz alta, seguido da interpretação do texto, conforme parâmetros pre-determinados, e da redação, dinâmica testemunhada por José Lins do Rego, Mario Quintana e Affonso Romano de Sant'Anna:

> O trabalho de assimilação das formas literárias pelo aluno se operará nas seguintes condições:
>
> a) imitando ele a leitura expressiva da professora;
>
> b) lendo por sua vez a *interpretação* do trecho literário;
>
> c) respondendo ao *questionário* que esclarece e confirma a interpretação feita; e, mais tarde, lendo o *comentário* e tomando parte na *conversação;*
>
> d) *copiando* o trecho literário, cuja ortografia e pontuação vão ser imitadas;
>
> e) lendo, aplicadas desde logo em frases e sentenças usuais, as expressões literárias que vão fazer parte do seu vocabulário;

f) lendo em manuscrito e escrevendo o ditado da reprodução do texto original.[4]

A cada texto que propõe como matéria de aula, o autor acompanha ao pé da letra a sequência de trabalho acima sugerida, que começa e termina pela leitura. A segunda lição é motivada pela leitura de um poema de Bilac, a que se sucedem as etapas de interpretação, resposta a um questionário preparado de antemão, cópia, aplicação, ditado, composição e recitação. Sobre esta última atividade, comenta A. Joviano:

> Depois de lida com ênfase, pela professora, a poesia desta lição, estrofe por estrofe, os alunos a repetirão, parcialmente, até que imitem, completamente, a leitura ouvida. Aprendida de cor, frequentemente a recitarão em aula, distinguindo-se para modelo os alunos que o fizeram com mais expressão e sentimento.[5]

O comentário parece se aplicar diretamente às reminiscências dos escritores. Mas a proposta de Joviano não contraria outras de seu tempo, afinando-se às dos pedagogos da época, como João Köpke, que observa no prefácio a seu *Quarto livro de leituras:*

> Nos três volumes anteriores, o *principal* fito da compilação foi fornecer base para os exercícios orais

---

[4] JOVIANO, A. Plano de lições. In: *Língua pátria:* 1º livro – Lições para o ensino prático da língua nacional nas escolas primárias. 2. ed. aumentada. Rio de Janeiro: Papelaria e Tipografia Oriente, 1924. p. 6. Grifos do autor.
[5] Ibid. p. 43.

de *reprodução do lido* e *ampliação do vocabulário;* do presente até o último, é seu intento, ampliando ainda e sempre o vocabulário, inspirar, pela prática e pelo comércio contínuo com os bons modelos, o gosto literário, nos ensaios de composição sobre diversos gêneros, a que será solicitado o aluno.[6]

A concepção de leitura reiterada por esses autores repousa sobre um critério pragmático: ler não é um fim em si mesmo, mas o ponto de partida do processo da aprendizagem, levando o estudante a aumentar seu vocabulário, expressar-se melhor por escrito e conquistar o auditório, ao dominar os mecanismos da retórica e da eloquência. A derradeira etapa desse percurso é a aquisição do gosto literário, que, se se inspira nos bons modelos, reflete-se "nos ensaios de composição sobre diversos gêneros", segundo João Köpke. Eis por que, já nos anos 1950, Lourenço Filho pôde afirmar na abertura do primeiro volume de sua série didática *Pedrinho:*

> Ler por ler nada significa. A leitura é um meio, um instrumento, e nenhum instrumento vale por si só, mas pelo bom emprego que dele cheguemos a fazer. O que mais importa na fase de transição, a que este livro se destina, são os hábitos que as crianças *possam tomar em face do texto escrito.*[7]

---

[6] KÖPKE, João. *Quarto livro de leituras* para uso das escolas primárias e secundárias. Edição adaptada ao Curso Sistemático da Língua Materna. Rio de Janeiro: Francisco Alves, 1924. Grifos do autor.

[7] LOURENÇO FILHO, M. D. *Pedrinho:* 1º livro. São Paulo: Melhoramentos, 1959. p. 128. Grifo do autor.

Também recorrente na concepção de leitura emanada dos textos desses pedagogos é a associação da atividade de ler à produção de um escrito, prova palpável dos resultados alcançados. Parece necessário estabelecer-se um vínculo desse tipo, porque a leitura não gera nenhum outro resultado, a não ser os vividos internamente pelo leitor, afetando suas emoções, seus sentimentos e seu intelecto. Carlos de Melo, protagonista de *Doidinho,* oscila entre a diversão e o aborrecimento lendo a seleta de Felisberto de Carvalho ou o *Coração* de Edmundo de Amicis, mas nenhuma de suas reações é quantificável, mesmo quando a leitura obrigatória agrada-o:

> Todo esse livro delicioso me chamava para as suas páginas. (...) A *Seleta clássica* era cheia de discursos, de versos. Mas o *Coração* estremecia a nossa sensibilidade de meninos, nos interessava naqueles conflitos que eram os nossos. [8]

Apenas o produto escrito pode atestar que um texto foi lido, porém, ao se realizar o trajeto do ler para o escrever, altera-se a natureza da atividade original: configura-se como passagem, trânsito para algo diferente, porém mais importante e definitivo. Compreendida como transitória e instrumento para outro fim, conforme propõe Lourenço Filho, a leitura se descredencia, perde pontos em termos de imagem social e fica relegada a um segundo plano, embora ocorra em primeiro lugar.

---

[8] REGO, José Lins do. op. cit. p. 64.

A recuperação do prestígio do ato de ler depende hoje de ele ser pensado em relação a seus efeitos sobre o leitor, os mesmos que parecem não quantificáveis. A Teoria da Literatura se encarregou disso, ao adotar novas ideias sobre a natureza do texto artístico e renunciar à proposta estruturalista de encará-lo como organização autossuficiente e autoprodutora de sentido. Segundo as novas teses, a obra literária é uma formação porosa, porque constituída de vazios a serem preenchidos pelo leitor. Assim, embora compreensível, o texto é incompleto, pois ele nunca exaure seu objeto, cujo significado se efetua quando o leitor ali deposita seu conhecimento e experiência.

Wolfgang Iser, teórico da Estética da Recepção, parece ser o representante mais credenciado desse pensamento, cujas raízes estão no estudo seminal de Roman Ingarden, *A obra de arte literária*.[9] Mas suas ramificações podem ser encontradas na psicanálise, no *Reader-Response Criticism*, na Sociologia da Literatura.[10] Adota a premissa de que a criação literária oferece-se ao leitor sob a forma de diálogo, troca de

---

[9] Cf. sobretudo ISER, Wolfgang. Die Appelstruktur der Texte. In: WARNING, Rainer (Hrsg.). *Rezeptionsästhetik*. München: Fink, 1975. _____. *The Implied Reader*. Baltimore, London: The Johns Hopkins University Press, 1974. _____. *Der Akt des Lesens*. München: Fink, 1976. INGARDEN, Roman. *A obra de arte literária*. Lisboa: Calouste Gulbenkian, 1973.

[10] Cf. a respeito, entre outros, HOLLAND, Norman. *The Dynamics of Literary Response*. New York, London: W. W. Norton & Company, 1975. TOMPKINS, Jane P. *Reader--Response Criticism:* from Formalism to Post-Structuralism. Baltimore, London: The Johns Hopkins University Press, 1980. FISH, Stanley. *Is there a text in this class?*: the Authority of Interpretative Communities. Cambridge, MA, London: Harvard University Press, 1980. RABINOWITZ, Peter J. *Before Reading:* Narrative Conventions and the Politics of Interpretation. Ithaca, London: Cornell University Press, 1987. GRIMM, Gunter. *Rezeptionsgeschichte*. München: Fink, 1977.

experiência a partir da qual nasce sua efetividade como discurso. O diálogo, todavia, é singular, porque assimétrico: o texto põe uma ideia de mundo à disposição de seu consumidor, que, fundado em suas vivências, interesses e formação, completa, aprecia, aceita ou recusa. A recíproca não é verdadeira, pois dificilmente um leitor altera a estrutura de uma obra; quando muito, sacraliza o livro, ao conservá-lo como material de estima, reduz o objeto à condição de mercadoria, ao comercializá-lo, ou o destrói, se desprezá-lo. Porém, sua ação em geral dirá respeito a um exemplar concreto, colocado a seu alcance, jamais ao produto artístico que aquele volume transporta.

Essas circunstâncias definem o intercâmbio entre a literatura e o destinatário como desigual, descalibrado, desproporcional. O leitor dá vida à obra, mas é ela que lhe passa informações, conhecimento, sabedoria. Também por esse ângulo as expectativas colocadas na leitura compreendem-na como doadora, administrando benefícios a seus usuários. Esses resultados podem não ser imediatamente mensuráveis, mas se refletem a longo prazo, transformando o consumidor num ser elevado, enriquecido pela experiência herdada dos livros.

Se se espera que a criação literária veicule, por meio da leitura, um conhecimento de mundo, é porque se presume que os textos transferem informações a seus leitores. O diálogo depende da concretização desse anelo, o que pode acontecer em dois níveis: o mimético e o simbólico. O primeiro se efetua quando o leitor encara o texto como reprodução realista de uma situação; neste caso, ele acrescenta, ao saber de que já dispõe sobre certa realidade, dados suplementares que podem ampliar, discutir ou contradizer sua impressão inicial. O segundo supõe que o leitor interpreta a situação que é matéria de representação textual: os acontecimentos, indivíduos e objetos expostos não são apenas o que aparentam (perspectiva realista de apreensão do texto), mas constituem-se porta-vozes de uma ideia mais complexa ou profunda que, também por mais abstrata, subordina-se ao processo de concretização operado pelo texto.

Um exemplo pode ser extraído do conto de Machado de Assis, "O caso da vara", publicado originalmente em 1891, em *A Gazeta de Notícias,* e reunido, em 1899, às outras histórias de *Páginas recolhidas.* Esse conto, dos mais conhecidos do autor, apresenta um curto episódio da vida do jovem Damião, ocorrido "antes de 1850", conforme o narrador faz questão de afirmar nas primeiras linhas.[11] O protagonista, destinado pela família ao sacerdócio, decide fugir do seminário e pedir ajuda ao padrinho, que dissuadiria o pai da ideia de conservá-lo num lugar e num ofício para o qual não se sentia apto. Sabendo que, por seus próprios meios, não conseguiria chegar a um resultado positivo, socorre-se de Sinhá Rita, "uma viúva, querida de João Carneiro" (p. 12), o padrinho. A viúva aceita o encargo e envia o amante à casa do compadre para conseguir deste a liberdade de Damião; enquanto isso, acolhe o rapaz em seu lar. A espera é longa, e Damião enche o tempo contando histórias e anedotas a Sinhá Rita e às duas "crias", meninas negras que aprendiam com ela a arte do livro. Lucrécia é uma

---

[11] ASSIS, Machado de. O caso da vara. In: *Páginas recolhidas.* São Paulo: Mérito, 1959. p. 11.

das aprendizes, mas, doente, atrasa o trabalho, sendo ameaçada de punição pela patroa. Internamente, Damião resolve proteger a moça, até acontecer a seguinte cena:

> Era hora de recolher os trabalhos. Sinhá Rita examinou-os; todas as discípulas tinham concluído as tarefas. Só Lucrécia estava ainda à almofada, meneando os bilros, já sem ver; Sinhá Rita chegou-se a ela, viu que a tarefa não estava acabada, ficou furiosa, e agarrou-a por uma orelha.
> – Ah! Malandra!
> – Nhanhã, nhanhã! pelo amor de Deus! por Nossa Senhora que está no céu.
> – Malandra! Nossa Senhora não protege vadias!
> Lucrécia fez um esforço, soltou-se das mãos da senhora, e fugiu para dentro; a senhora foi atrás e agarrou-a.
> – Anda cá!
> – Minha senhora, me perdoe! tossia a negrinha.
> – Não perdoo, não. Onde está a vara?
> E tornaram ambas à sala, uma presa pela orelha, debatendo-se, chorando e pedindo; a outra dizendo que não, que a havia de castigar.
> – Onde está a vara?
> A vara estava à cabeceira da marquesa, do outro lado da sala. Sinhá Rita, não querendo soltar a pequena, bradou ao seminarista:
> – Sr. Damião, dê-me aquela vara, faz favor?
> Damião ficou frio... Cruel instante! Uma nuvem passou-lhe pelos olhos. Sim, tinha jurado apadrinhar a pequena, que por causa dele, atrasara o trabalho...

> – Dê-me a vara, Sr. Damião!
> Damião chegou a caminhar na direção da marquesa. A negrinha pediu-lhe então por tudo o que houvesse mais sagrado, pela mãe, pelo pai, por Nosso Senhor...
> – Me acuda, meu sinhô moço!
> Sinhá Rita, com a cara em fogo e os olhos esbugalhados, instava pela vara, sem largar a negrinha, agora presa de um acesso de tosse. Damião sentiu-se compungido; mas ele precisava tanto sair do seminário! Chegou à marquesa, pegou na vara e entregou-a a Sinhá Rita. (p. 22-23)

O quadro, de notável estruturação dramática, como se tivesse sido destinado ao palco, é quase didático: de um lado, a autoridade indiscutida de Sinhá Rita, de outro a fragilidade da escrava, acentuada a primeira pelas acusações feitas à moça e pelo uso do imperativo ao dirigir-se a Damião, sugerida a segunda pelo emprego do diminutivo "negrinha" nas referências a Lucrécia e pela alusão de sua doença (a tosse).

Da sua parte, o narrador não faz concessões: se, na sequência inicial da cena, limita-se a apresentar os fatos – o atraso na entrega do trabalho, a fuga, a perseguição de Sinhá Rita –, na final, não se constrange em invadir a consciência do protagonista para revelar suas dúvidas e o desejo de, apesar de tudo, ser o salvador de Lucrécia. E sobretudo para, valendo-se do discurso indireto livre no parágrafo final, quando se evidencia a opção interesseira de Damião ("mas ele precisava tanto sair do seminário!"), ironizar a decisão tomada, com a qual não concorda mas que, admite, era a mais natural naquelas circunstâncias.

Não se reconhecem nesse processo narrativo as sutilezas consideradas peculiares ao estilo de Machado. Talvez a situação apresentada não o permitisse: há uma grande desproporção entre as duas mulheres, e o leitor é explicitamente convidado a simpatizar com o lado mais fraco, conduzido pelo próprio Damião, que, desde o início, tomou o partido de Lucrécia. É certo que o protagonista muda de posição em vista de seus interesses pessoais; nesse ponto, porém, o leitor não mais o acompanha, manobrado agora apenas pelo narrador, que, apelando para o recurso da onisciência, revela a falta de caráter do ex-futuro padre.

Com isso, o narrador não deixa margem de dúvida quanto a suas intenções: está apresentando uma situação provavelmente rotineira da vida carioca durante o período de vigência da escravidão. Denuncia a violência dos brancos contra os negros; e revolta-se perante a tibieza dos homens livres que adotam posições liberais, por esses não sustentarem seus princípios, quando a crise chega a seu clímax e afeta seus interesses próximos.

O conto de Machado de Assis, entretanto, não precisa necessariamente ser lido contra o pano de fundo da sociedade brasileira do século XIX, na passagem do regime servil para o livre, época em que o autor escreveu a história. Ele parece superar esses limites históricos, pois as escolhas de Damião, solidarizando-se inicialmente com os mais fracos, optando depois por vantagens pessoais, são reveladoras da natureza humana ou, ao menos, do modo como o escritor compreendia os indivíduos, incapazes de concretizar seus ideais, indignos da credibilidade que os outros pudessem eventualmente depositar neles. Nessa medida, o conto passa do âmbito mimético para o simbólico, sem se contradizer, nem deixar de, em ambos os níveis, apresentar uma visão da realidade, a ser ou não compartilhada pelo leitor.

Independentemente de se aceitar uma ou outra perspectiva ou propor novos modos de entender o texto, o fato é que o autor convoca o leitor a assimilar as informações dispostas no conto. E chega a esses objetivos recorrendo às técnicas literárias existentes: manipula com a narrativa onisciente, que lhe faculta expor as oscilações íntimas de Damião e a razão de sua escolha; vale-se das peculiaridades da língua, como a de a voz imperativa, em português, ter um significado autoritário e o diminutivo induzir à simpatia de seu portador; joga com as emoções do leitor, que espera até o parágrafo final que o protagonista cumpra com sua deliberação e revele-se efetivamente altruísta.

Sob esse aspecto, os recursos narrativos servem aos propósitos do texto, e, por fazê-lo de modo eficiente, o autor alcança seus objetivos. Estes, por sua vez, parecem radicais, pois o narrador agudiza a diferença entre as mulheres em conflito: como Sinhá Rita é muito mais poderosa que Lucrécia, a sutileza coopera aqui para a informação chegar imediatamente ao destinatário, constituindo outra faceta da competência citada. Por isso, o quadro transcrito tem visível fito didático: ele ensina ao leitor que um ser humano, dotado de poder absoluto, age de forma extremamente violenta contra seu semelhante.

Pode-se perguntar: mas o leitor já não sabia isso? O leitor de Machado talvez soubesse; pior: talvez praticasse, ou tivesse praticado recentemente, atos semelhantes aos de Sinhá Rita ou de Damião. O autor ameniza a possibilidade de identificação ao situar a ação antes de 1850; mas o retrocesso temporal, este sim, é sinal de sutileza do ficcionista: fica difícil imaginar que cenas tais como a reproduzida não tivessem acontecido pouco antes (ou talvez até depois) da assinatura da Lei Áurea pela princesa Isabel.

O conto, pois, destina-se aos Damiões e às Sinhás Ritas da época, e esse fato coloca o diálogo próprio à natureza da forma literária em termos muito especiais: Machado pode estar contradizendo procedimentos usuais do período, contrariando os interesses do público, revelando às pessoas sua pusilanimidade à moda de Damião ou tirania ao estilo de Sinhá Rita. Portanto, não se trataria este de um diálogo pacífico, de uma conversa murmurada, de uma anedota divertida, de um episódio singular, hipóteses que o título do conto, "O caso da vara", sugere; pelo contrário, o autor investe contra práticas de seu tempo, uma delas sendo o encobrimento da violência contra o negro. Sob esse aspecto, a falta de sutileza do estilo e as visíveis intromissões do narrador, seja desvendando a interioridade de Damião, seja posicionando-se francamente a favor de Lucrécia, tomam outra significação: representam a necessidade que Machado tem de convencer o leitor a aceitar seu ponto de vista, incomum naquele momento e contrário às convenções literárias vigentes, segundo as quais se escondem os males da sociedade.

O fato de o escritor, neste conto, sentir-se obrigado a assumir um estilo de certa maneira aproximado ao dos naturalistas, porque politicamente posicionado, é sinal de que, no diálogo entre a obra e o leitor, este atua de uma forma mais conspícua que à primeira vista se imagina. "O caso da vara" exemplifica a necessidade de o narrador engrossar a voz, falar mais alto, ser mais contundente. Machado de Assis não procederia dessa forma se tivesse de mencionar o adultério das mulheres da alta sociedade carioca, como ocorre em *Dom Casmurro*. Aqui ele lidou com um tema provavelmente comentado por todos; a sutileza se fez necessária, na medida em que conferiu nova respeitabilidade ao assunto. Portanto, também dessa vez ele reagiu e respondeu a uma convenção social por meio de uma convenção literária, adaptando sua escrita às possibilidades de recepção do público.

Aceito esse pressuposto, altera-se a noção inicial de que o leitor é mero receptáculo das informações transmitidas pelo narrador no texto; só que sua interferência é indireta, embora inscrita nas entrelinhas da obra. Reconhecido esse segundo pressuposto, altera-se outra noção, referente ao conceito de leitura discutido desde o começo.

Observou-se inicialmente que o conceito em voga sobre leitura supõe que o ato de ler só é útil quando o sujeito que consome textos ou obras literárias é levado a produzir algo: um outro texto, uma interpretação, mesmo uma recitação atesta que a leitura foi realizada e seus resultados são válidos. O pragmatismo da sociedade ocidental talvez explique a razão desse raciocínio, que legitima a leitura por meio do caráter produtivo que ela possa conter. Se consistir fim em si mesma, tiver natureza exclusivamente lúdica, seus efeitos não se evidenciam de modo visível, donde se conclui que inexistem. Por sua vez, a comprovação da leitura do texto do outro se faz pela redação de um texto pelo eu: o sujeito que escreve é aquele que, antes, leu.

Esta concepção não toma em consideração a natureza dialógica do texto, pois restringe o consumo da obra ao âmbito do sujeito. Verifica-se aqui uma visão não apenas utilitarista, mas também individualista da leitura e da literatura, que não admite ao menos a possibilidade de a experiência propiciada pelo livro ser socializada pelas pessoas. O resgate da perspectiva dialógica depende de se aceitar a ideia de que o texto quer se comunicar para fazer o leitor produzir algo. Contudo, o diálogo se caracteriza por uma peculiaridade suplementar: a leitura não leva o sujeito-leitor a redigir um texto qualquer, e sim induz o sujeito-autor a criar um outro texto.

Portanto, a questão referente às relações entre leitura e produção de texto (ou manifestação linguística, de modo amplo) pode receber uma formulação distinta, à primeira vista paradoxal: o sujeito que escreve é aquele que foi lido. A leitura efetivamente determina a escrita, mas conforme um processo singular, em que a leitura de um determina a escrita de outro. A resposta primeira é do autor, na busca incessante de se comunicar com o destinatário e apresentar seus pontos de vista, frequentemente contrários aos padrões vigentes e, portanto, desafiadores. É sob esse aspecto que a leitura é transformadora: ela age sobre a literatura, tanto quanto a literatura age sobre seu público. Este, portanto, não pode se comportar de modo imitativo, tomando o objeto literário como modelo ideal, uma vez que ele seguidamente rompe com as regras em voga na sociedade.

Por essa razão, não nos cabe esperar que a leitura funcione como atividade auxiliar, visando a estimular a produção, e que a ficção e a poesia ajudem o leitor a amadurecer ou a se desenvolver; a relação é inversa, pois aquelas se fortalecem à custa dos estímulos apresentados pelo público. Este se mostra como o fator propriamente ativo, não apenas no âmbito do consumo, mas também no da criação literária; todavia, seu papel é refreado quando a circulação das obras passa para o espaço da escola. Aqui suspende-se o diálogo entre a obra e o leitor, e este é colocado na situação de receptáculo passivo, com a função de imitar ou reconhecer valores previamente estabelecidos.

Presume-se que a circulação de textos literários na escola não deva contrariar características atribuídas à literatura, uma vez que se justifica por facultar a realização do significado principal da arte: o acesso a experiências e saberes que, por limitações variadas, o ser humano não pode obter de outra maneira. A literatura se alimenta do vasto campo das possibilidades humanas, que ela socializa tanto aos que podem alcançá-las por outros meios quanto aos que estão privados dessa chance. Competiria à escola colaborar para a concretização dessa utopia da arte; não poderia fazê-lo, porém, sem levar em conta o tipo de diálogo que se estabelece entre o público e as obras. Por sua vez, propiciar a prática do diálogo e refletir sobre os modos como ele se efetiva talvez sejam atividades mais que suficientes para legitimar a presença da literatura na sala de aula.

A atividade da leitura e o desenvolvimento das crianças: considerações sobre a constituição de sujeitos-leitores

Ana Luiza B. Smolka

> **Luminoso**[1]
> *As letras noturnas, as letras enormes*
> *acesas no topo do grande edifício*
> *falando de coisas vulgares dos homens*
> *(cerveja, automóvel, sabão, dentifrício)*
> *ensinam estrelas (ó alfas! ó betas!)*
> *a ler (As estrelas são analfabetas).*
>
> Guilherme de Almeida

A leitura é, certamente, uma atividade humana. E como atividade especificamente humana ela constitui um trabalho

---

[1] Agradeço a Maitê, que, sem saber, sugeriu a epígrafe.

simbólico. É esse trabalho simbólico da leitura que eu gostaria de destacar como núcleo de minhas reflexões, relacionando-o ao processo de desenvolvimento das crianças.

As décadas de 1970 e 1980, bem marcadas por uma visão cognitivista do desenvolvimento da criança, configuraram uma grande preocupação com o sujeito-leitor. Nessas décadas, estudos e pesquisas em psicologia e linguística assinalaram a leitura como um processo ativo – de decodificação, de busca e extração de informações de um texto, de reconstrução de sentido, de compreensão (Gibson & Levin, 1975; Goodman, 1976; Goodman & Niles, 1970; Smith, 1973; Foucambert, 1976; Lentin, 1978; Silva, 1981; Kato, 1985), em contraposição ou complementação ao enfoque anteriormente restrito às habilidades perceptivas e motoras.

Nos últimos cinco a oito anos, no Brasil, uma ênfase bastante grande tem sido dada à leitura como processo de interlocução, delineada agora pela atividade discursiva, fundada em interações sociais e delas constitutiva. Essa concepção tem suas origens nas Teorias da Enunciação e na Análise do Discurso (Benveniste, 1976; Bakhtin, 1981; Pêcheux, 1969) e tem permeado a produção científica na área, veiculada em periódicos e publicações mais recentes (Osakabe, 1981; Geraldi, 1984; Orlandi, 1987, 1988; *Leitura:* teoria & prática).

A par dessas concepções e das pesquisas em elaboração, vimos assistindo a uma expansão súbita da leitura e da literatura, fenômeno do qual temos participado. O incentivo à formação do hábito de leitura e ao desenvolvimento do gosto e do prazer de ler invade a mídia que propaga as "viagens" que um livro proporciona e apela ao "vício" da leitura (Câmara Brasileira do Livro, Associação Paulista de Fabricantes de Papel e Celulose, in: *Veja*; *Leia*; *Tu*).

Estando na ordem do dia, a leitura permanece em questão. Como se processa a atividade de leitura? Como uma criança aprende a ler? Quando e como se deve ensinar? Como se dá essa "passagem" da oralidade para a escrita? Como um indivíduo se constitui "leitor"?

Apesar dos inúmeros avanços e contribuições na área, investigar e analisar os processos de leitura continua sendo uma tarefa complexa, sobretudo se considerarmos a dinâmica da sociedade letrada em que vivemos e a diversidade de funções que a forma escrita de linguagem vai, cada vez mais, adquirindo e ampliando. A mera descrição do comportamento observável de um indivíduo em (suposta) situação de leitura não nos informa ou esclarece, necessariamente, a respeito da atividade de leitura.

A leitura de classificados num jornal, a leitura de um artigo ou de um livro, a leitura de uma nota fiscal, de propaganda ou de anúncios luminosos, seja para informação, fruição ou estudo, seja mesmo incidentalmente, no percurso do ônibus para o trabalho, num supermercado ou na escola são alguns dos modos e momentos de leitura que ocorrem cotidiana e diversificadamente, dadas as condições de vida em nossa sociedade atual.

O fato é que a forma escrita de linguagem constitui, hoje, um aspecto de *habitus* (Bourdieu, 1982) da nossa sociedade, uma vez que integra, articula e produz um conjunto de práticas sociais, e de tal maneira que quem lê, lê até mesmo "sem querer". Os estudiosos e especialistas da Indústria Cultural e da Comunicação de Massa sabem disso mais do que os educadores (e tiram melhor proveito!).

Mas a questão se complica quando percebemos que se, por um lado, as condições atuais da propaganda e da comunicação de massa na sociedade letrada produzem essa leitura de signos escritos "sem querer", marcando essa atividade humana em termos perceptuais, gestálticos, por outro, a atividade da leitura – quando especificamente humana, como trabalho simbólico – é consciente e intencional. Contraditoriamente, também, constatamos que, mesmo dadas as condições sócio-históricas de funcionalidade e funcionamento da escrita, muitos indivíduos "não aprendem a ler". Que tipos ou que formas de leitura esses indivíduos não aprendem? Por que não aprendem? Precisam aprender? Por quê? Para quê?

Podemos considerar que o domínio de um sistema de escrita interfere profundamente no desenvolvimento cultural dos grupos sociais (Luria, 1988; Scribner & Cole, 1981); podemos admitir que esse domínio acarreta uma crítica mudança em todo o desenvolvimento cultural da criança (Vygotsky, 1984). Mas como se caracterizam essa interferência e essa mudança? Como traçar a natureza e o processo dessas transformações? O que, efetivamente, se transforma com a escrita e por meio dela?

Os trabalhos de Gnerre (1985), a respeito da escrita e do poder, e de Tfouni (1988), acerca do letramento e da cognição em adultos, indicam que as polêmicas permanecem abertas e instigantes, o que provoca ainda outra indagação: em que medida essa forma de linguagem – escrita – aparece como possibilidade, necessidade ou exigência de comunicação, interlocação, dados certos contextos socioeconômico-culturais?

Essas questões circunscrevem o caráter político-pedagógico do ensino da leitura e nos remetem a uma discussão mais aprofundada dessa atividade humana.

A leitura como atividade humana

Não cabe aqui discorrer sobre a Teoria da Atividade.[2] No que concerne ao escopo deste artigo, vale destacar, no entanto, que o conceito de *atividade* pode ser traçado e desempenha papel central na psicologia soviética.

Dados os pressupostos teórico-epistemológicos dessa vertente em psicologia, não existe uma natureza humana fixa e imutável; há, sim, a contínua elaboração das atividades especificamente humanas e a constituição das funções mentais superiores no processo histórico das interações sociais. Nesse sentido, o trabalho é considerado a forma prototípica de atividade humana, sendo esta inconcebível sem o meio social.

Na atividade produtiva, nas relações de trabalho, o homem cria instrumentos, ferramentas orientadas externamente para o controle e o domínio da natureza; e signos, orientados

---

[2] A Teoria da Atividade, desenvolvida por Leontiev, é complexa, abrangente e polêmica. Os psicólogos russos destacaram o "trabalho", o "jogo" e a "instrução" para analisar em termos da "atividade principal cujo desenvolvimento governa as mudanças mais importantes nos processos psíquicos e nos traços psicológicos da personalidade da criança" (Leontiev, 1988). Para um aprofundamento, remeto o leitor às obras citadas na bibliografia. Sem pretender dar conta de questões que envolvem desde a neurologia até a antropologia social, procuro estabelecer, no que diz respeito à leitura, algumas relações que possam vir a contribuir para a compreensão do desenvolvimento dessa atividade humana.

internamente, que viabilizam a organização social e o controle do próprio indivíduo (Vygotsky, 1984).

A modificação e a implementação dos instrumentos transformam a estrutura da atividade humana e do trabalho, modificando o próprio homem e transformando também as relações entre os homens. A relação com a terra, por exemplo, é radicalmente diferente se o homem usa uma enxada ou um trator. A realização do trabalho implica diferentes formas de atividade, se o algodão é fiado numa roca ou processado industrialmente, se o fio é trançado manualmente ou tecido num tear; se a roupa é costurada à mão ou passada numa máquina. À medida que a estrutura das interações sociais no trabalho se altera no curso da História, também se transforma e se reestrutura a atividade mental dos homens.

Nesse contexto teórico, a *atividade* é, num sentido mais abrangente, a unidade vital característica do organismo. No sentido psicológico especificamente humano, a atividade pode ser concebida como um processo dinâmico que se integra às características sociointerativas e individuais-cognitivas das condutas humanas, e que se configura nas/pelas diversas formas da interação social – material e mental.

Assim, o conceito de atividade humana – mais abrangente e fundamental que o conceito de comportamento – implica as noções de *materialidade,* no que diz respeito a sua estrutura e organicidade em sujeitos corpóreos; de *mobilidade,* no que concerne a seu dinamismo, sua dinâmica de funcionamento; de *mediação,* no sentido da sua constituição na relação com o mundo intersubjetivo e objetivo; e de *transformação,* no que se refere a seu processo de elaboração e produção sócio-

-histórica. Ou seja: a atividade humana só ocorre e tem sentido na concretude das relações interindividuais cotidianas, e é na dinâmica dessas relações que emergem os signos – verbais e não verbais –, como contingência e possibilidade de interação e mediação.

Na qualidade de produção histórica de natureza social, a palavra – oral e escrita – constitui um "instrumento" de desenvolvimento cultural e de pensamento. À medida que se integra à dinâmica da atividade do indivíduo, a palavra, como signo, como "instrumento psicológico", modifica o desenrolar e a estrutura das funções psíquicas, gerando, por suas propriedades, a estrutura de novo "ato instrumental", redimensionando as possibilidades da ação humana (Vygotsky, 1984). A atividade mental é, assim, mediada, e essa mediação impregna cada movimento, cada ato humano, constituindo a dimensão sígnica e significativa da experiência humana.

A relevância dessas colocações para o nosso assunto específico está em que essa perspectiva teórica possibilita a consideração da atividade da leitura em seu processo de constituição sócio-histórica e na diversidade dos contextos de sua produção, articulando a dimensão material, biológica, e a dimensão simbólica, cultural. O conhecimento desses aspectos sustenta e substancia, em termos psicológicos e epistemológicos, a abordagem da leitura como prática discursiva, como trabalho simbólico.

Por isso, quando falo da atividade da leitura, não falo, simplesmente, de um "comportamento" de leitura, de uma maneira de proceder ou de um conjunto de habilidades e atividades frente a um texto num contexto social. Falo da atividade da leitura como forma de linguagem, originária na dinâmica das interações humanas – portanto, de natureza dialógica – que, em processo de emergência e transformação no curso da História, marca os indivíduos (em termos cerebrais mas não genéticos) e configura as relações sociais. Falo da leitura não como um mero "hábito" adquirido, mas como atividade inter e intrapsicológica, no sentido de que os processos e os efeitos dessa atividade de linguagem transformam os indivíduos enquanto medeiam a experiência humana. (É essa dimensão inter e intrapsicológica que distingue a atividade de escovar os dentes da atividade de ler o jornal todas as manhãs.) Falo, portanto, da leitura como mediação, como memória e prática social.

No entanto, são os meandros dessa mediação e dessa prática que constituem pontos cruciais de investigação para a psicologia e a pedagogia.

No momento da escritura, por exemplo, a palavra se processa num movimento de objetivação e tem suas marcas num produto na exterioridade. A palavra se lineariza no espaço e no tempo, adquirindo uma organização no processo de sua produção. No momento da leitura, no entanto, a palavra se configura e se dispersa, rompe a linearidade, produz resultados indeterminados, imperceptíveis, muitas vezes intraçáveis, na medida em que, literalmente, incorpora e se articula ao pensamento imagético e verbal do indivíduo. Na leitura, a atividade mental de um "eu", como trabalho simbólico, é fundamentalmente dialogia, polifonia (Bakhtin, 1981), em que se confundem os turnos, se misturam as vozes. Como a leitura se esquematiza, se constitui, se desenvolve, tanto em nível psicológico/individual quanto sócio/ideológico? Como a leitura – e, portanto, a forma escrita de linguagem – marca o desenvolvimento psíquico das crianças e seu processo de aprendizagem?

Processos de desenvolvimento, tempo e história

Questões e controvérsias em torno da relação desenvolvimento/aprendizagem têm marcado a história da psicologia tanto quanto a história da pedagogia. As polêmicas que se delineiam e se instalam repercutem, difusa ou contundentemente, nas relações de ensino e na instrução escolar. Se o desenvolvimento precede a aprendizagem, se a aprendizagem provoca o desenvolvimento, se a criança tem que estar "pronta" para aprender, se ela tem fases mais adequadas ou "ótimas" para assimilar determinados conteúdos, se o ensino produz a aprendizagem e em que medida o ensino interfere ou altera o processo de desenvolvimento são questões que aparecem sistematicamente na prática pedagógica e que remetem a indagações epistemológicas mais profundas.

Falar da relação desenvolvimento/aprendizagem implica considerar o movimento de transformações que se processa ao longo do tempo e buscar formas de apreender e circunscrever momentos e marcadores nesse processo de transformações.

Aqui se abre, então, uma discussão teórica interessante a respeito do tempo e dos estágios de desenvolvimento.

"O desenvolvimento da criança é um processo temporal por excelência". Assim Piaget inicia um de seus trabalhos,

"Problemas de Psicologia Genética". Um pouco mais adiante, nesse mesmo trabalho, ele levanta a seguinte indagação: "O ciclo vital exprime um ritmo biológico fundamental, uma lei inelutável ou a civilização o modifica, e em que medida? Dito de outra forma, existem possibilidades de aceleração ou de diminuição desse desenvolvimento temporal?" (essa questão, por exemplo, marcou a polêmica Piaget x Bruner nos anos 1960).

Podemos perguntar, no entanto, se se trata de uma questão de aceleração ou de diminuição do desenvolvimento, e como se coloca essa questão temporal, como esse tempo é compreendido no referencial piagetiano.

Piaget circunscreve seus estudos em torno do desenvolvimento cognitivo, procurando o que há de universal nesse processo. Propondo-se a investigar, minuciosamente, o comportamento de seus filhos e as respostas das crianças aos problemas formulados pelos adultos, ele elabora sua teoria da equilibração e do conflito cognitivo, descrevendo o desenvolvimento da inteligência em termos de um modelo de funcionamento biológico. Assim, Piaget atribui à inteligência o processo de estruturação e autorregulação e atribui ao sujeito a capacidade da própria construção do conhecimento.

Piaget aponta a importância da interação do sujeito com o meio e nos fala de um *tempo,* necessário como duração e necessário como sequência, como ordem de sucessão, no processo de desenvolvimento. Desse modo, Piaget distingue dois aspectos no desenvolvimento intelectual: um que ele chama de psicossocial e que diz respeito à transmissão familiar, escolar, educativa em geral, e outro que ele chama de desenvolvimento psicológico e que diz respeito ao desenvolvimento da inteligência propriamente dita, que se refere àquilo que a criança aprende sozinha. Piaget nos fala da psicogênese do conhecimento, do aspecto intelectual do desenvolvimento, sendo que a "aceleração" ou o "retardamento" desse processo são considerados em relação a um percurso padrão cujo objeto e objetivos são os universais cognitivos. Piaget admite que as condições culturais interferem no processo, mas não inclui, em suas análises, a diversidade dessas condições. Assim, a preocupação de Piaget é com o desenvolvimento endógeno de um "sujeito epistêmico", considerado e analisado independentemente das condições concretas de trabalho e de vida.

Ao distinguir e separar o aspecto intelectual do aspecto social, Piaget confirma, teoricamente, a ruptura que instaura e acentua o dilema pedagógico: ensinar ou esperar a criança aprender? Essa distinção tem sérias implicações pedagógicas: como trabalhar o ensino e a construção ou o desenvolvimento espontâneo da inteligência ao mesmo tempo? Muitas vezes, apoiados no referencial piagetiano, os professores ficam observando, sim, mas "aguardando" as crianças passarem de um nível ou de um estágio ao outro, tendo por pressuposto que o desenvolvimento intelectual ocorre "espontaneamente"!

Ora, como se configura esse "intelectual"? Em que medida podemos considerar esse desenvolvimento "espontâneo" da inteligência da criança, como diz Piaget, desvinculado de um processo mais amplo, sócio-histórico-cultural, de desenvolvimento? Em que medida esse "natural" não é trabalhado, historicamente, no processo de apropriação da experiência humana?

Na realidade, um dos pontos críticos em qualquer teoria do desenvolvimento é a relação entre as bases biológicas do comportamento e as condições sociais dentro das quais e através das quais a atividade humana ocorre. Vygotsky argumenta que, em função da constante mudança das condições históricas que determinam em larga medida as oportunidades para a experiência humana, não pode haver um esquema universal que represente adequadamente a relação dinâmica entre os aspectos internos e externos do desenvolvimento (John-Steiner & Souberman, 1984).

Considerando os fundamentos sociais das atividades especificamente humanas, Leontiev (1981, 1988) nos fala do desenvolvimento do psiquismo e nos aponta que

> as condições históricas concretas exercem influência tanto sobre o conteúdo concreto de um estágio individual do desenvolvimento, como sobre o curso total do processo de desenvolvimento psíquico como um todo. Cada nova geração e cada novo indivíduo pertencente a uma certa geração possuem certas condições já dadas de vida, que produzem também o conteúdo de sua atividade possível, qualquer que seja ela.

Nessa perspectiva, ainda, Vygotsky diz que

> na elaboração histórico-cultural, um processo interpessoal se transforma em processo intrapessoal (...) e essa transformação é resultado de uma longa série de eventos em desenvolvimento. Isto se aplica a funções como a atenção voluntária, a memória lógica, a formação de conceitos. Todas as funções psicológicas especificamente

humanas se originam nas relações entre indivíduos. A internalização das formas culturais de comportamento envolvem a reconstrução da atividade psicológica através de signos. (1978, p. 57).

Os signos – gestos, desenhos, fala, escrita, matemática etc. – constituem um instrumental cultural por meio do qual novas formas de comportamento, relacionamento e pensamento humanos vão sendo elaboradas. Nesse processo, "a natureza do próprio desenvolvimento humano se transforma do biológico para o sócio-histórico" (Vygotsky, 1975, p. 51).

De fato, não podemos dizer que existe uma determinação genética das ações humanas. Podemos admitir, certamente, que existem uma contingência biológica e uma contingência sociocultural. É precisamente essa indeterminação genética que abre a enorme possibilidade de realização das atividades especificamente humanas.

Ao nascer, a criança dispõe de seus próprios movimentos, suas próprias reações, sua corporeidade, como possibilidade de interação com os outros, com o mundo. Os adultos, por seu turno, na medida em que respondem ou não a essas reações, na medida em que se fazem presentes ou ausentes, na medida em que interpretam e atribuem significado aos movimentos das crianças, na medida em que usam a forma verbal, articulada de linguagem, vão, efetivamente, propiciando à criança a participação na dimensão simbólica elaborada socialmente. Assim, por exemplo, o movimento de estender o braço e a tentativa de alcançar um objeto se transformam em gestos de apontar, num jogo de imitações adulto/criança. O jogo de apontar vai sendo acompanhado pelo jogo de nomear: falando com a criança, falando por ela, o adulto distingue e destaca, nomeia e dá relevância a objetos, ações e relações no campo perceptivo da criança. Gradualmente, as atividades da criança vão adquirindo sentido num sistema de relações sociais. A percepção imediata da criança vai sendo mediada por diferentes formas de linguagem. Seus movimentos se tornam gestos. Os sons balbuciados se tornam palavras. No espaço da intersubjetividade, que se instaura, a criança se desenvolve apreendendo e aprendendo múltiplas formas de interação. As relações das crianças com o mundo são mediatizadas pelas relações com os outros homens. Nesse processo, a criança vai se apropriando, isto é, vai tornando seus os objetos, as ideias, os dizeres dos outros e os vai transformando. Assim, a linguagem e as relações sociais são constitutivas do processo de desenvolvimento psíquico e do conhecimento do mundo. Fala-se, então, num processo histórico de produção do conhecimento, no qual a atividade mental das crianças – cognitiva, discursiva – vai se constituindo. A construção, no sentido da psicogênese piagetiana, como esquematização de ações e operações mentais subjetivas, é um aspecto, sem dúvida importante, desse processo mais abrangente de produção, de sociogênese do conhecimento, que implica uma perspectiva histórica e fundamentalmente intersubjetiva. O tempo ou o momento individual de desenvolvimento, inscrito e analisado no movimento histórico-cultural, adquire, então, nova significação, novo sentido.

É na perspectiva da sociogênese do conhecimento que enfoco a leitura como atividade de linguagem, como forma de interação especificamente humana, socialmente fundada e historicamente desenvolvida, e enfoco as crianças, em seu processo de constituição como sujeitos-leitores, como protagonistas e interlocutores.

O desenvolvimento da atividade da leitura: a constituição de sujeitos-leitores

A leitura, como atividade de linguagem, tem sua gênese, sua história, nas formas de interação que se desenvolvem na dinâmica das relações sociais. As formas de interação incluem os esquemas de ação do sujeito como aspecto endógeno descrito por Piaget (1975). Mas enquanto constituídas na intersubjetividade e delas constitutivas, essas formas de interação são lacunares e inacabadas, e se caracterizam pela incompletude: há sempre espaço para o outro – na sincronização de movimentos e ritmos, no acompanhamento e na imitação de gestos e sons, na troca de olhares, na atenção conjunta, na partilha de ações e emoções, na alternância de posições e papéis sociais, no jogo das expectativas e intenções.

No processo de desenvolvimento, as inter-relações se complexificam e as atividades intersubjetivas se diversificam e se ampliam no espaço e no tempo. É nessa dinâmica de atividades interpessoais que se configuram formas de dialogia, que se elaboram "esquemas" de interpretação. Nesse processo, ainda, o signo verbal, a palavra, "como modo mais puro e sensível de relações sociais, como material privilegiado da comunicação na vida cotidiana" (Bakhtin, 1981), marca o tempo, traça a História.

Historicamente, a forma escrita de linguagem – o signo escrito – se desenvolveu no sentido da fonetização, o que implica, técnica e praticamente, uma relação de correspondência, uma relação de dependência com a produção oral. Nesse sentido, a escrita é um sistema de símbolos que designam sons e palavras da língua falada, os quais, por sua vez, designam objetos e relações. Desse modo, pode-se dizer que a escrita consiste num simbolismo de segunda ordem. No entanto, no processo de desenvolvimento da atividade da leitura, a linguagem falada desaparece como elo intermediário e a escrita passa a simbolizar diretamente (Vygotsky, 1978).

Como as crianças interpretam o signo escrito no meio em que vivem? Para que indicadores elas atentam? Quem aponta, quem medeia o conhecimento da escrita como produto e produção sócio-históricos? Que espaço, que lugar a instituição escolar ocupa no processo de mediação?

Ora, nas atuais condições da sociedade letrada, no contexto da indústria cultural, em que as técnicas da propaganda e da comunicação de massa permeiam o cotidiano das relações sociais, a escrita adquire um aspecto predominantemente icônico e se confunde com outras formas de representação: ao caráter de simbolização mediata da escrita se sobrepõe o caráter de representação imediata. Os signos escritos, imersos num complexo conjunto significante, simbolizam diretamente, remetendo os indivíduos, em inúmeras situações, à apreensão do significado, sem que eles necessariamente se deem conta do caráter "mediador" da escrita e do caráter intermediário da fala. Ou seja: nessas condições concretas de vida, tanto os letrados quanto os iletrados podem apreender diretamente os significados, por diferentes modos de leitura...

Embora haja apreensão dos significados e busca de sentido em ambas as atividades, a percepção, a apreensão do indivíduo letrado passa por outro processo, é mediada por outra forma de elaboração intrapsicológica. É justamente essa "passagem" que configura o núcleo da questão teórica no que diz respeito ao desenvolvimento da atividade da leitura. O que distingue, então, a atividade da leitura em letrados e em iletrados?

Poderíamos apontar, de imediato, como fator determinante, o que distingue as formas de atividade e o conhecimento de um código escrito. Mas se, por um lado, esse fator aparece como determinante, sabemos, por outro, que apenas o "conhecimento" do código – como a memorização de letras e sílabas, por exemplo – não garante a leitura, podendo a atividade permanecer no nível da decifração! A "passagem" no desenvolvimento da atividade da leitura parece implicar outros fatores constitutivos significativos!

Com o objetivo de compreender essa "passagem", realizamos um estudo exploratório sobre a leitura incidental em crianças na fase pré-escolar e do 2º ano do Ensino Fundamental. A expectativa era captar alguns indicadores num processo de descontextualização do signo escrito, a partir de embalagens, rótulos de produtos e logotipos em circulação na comunidade (Smolka, 1985). No transcorrer das pesquisas foi ficando cada vez mais evidente a importância dos *processos de mediação* na elaboração do conhecimento sobre a escrita, foi emergindo a necessidade de se analisar as condições concretas de interação que efetivamente produzem essa elaboração.

Ancorados no referencial teórico acima explicitado, pudemos, então, observar, no cotidiano das salas de aula, que a apropriação do código escrito "passa pelo outro". Mas "passa pelo outro" de acordo com as diferentes formas e momentos de interação, de acordo com as condições específicas de trabalho e de vida dos indivíduos e dos grupos nessa interação. Assim, no processo de apropriação do código escrito como objeto de conhecimento, as crianças internalizam papéis, funções e posições sociais, aprendendo modos de agir, de pensar e de dizer as coisas. Como se lê, para que se lê, o que se pode e não se pode ler, quem lê, quem sabe, quem pode aprender são procedimentos implícitos, não ensinados, mas internalizados no jogo das relações interpessoais. Desse modo, o mundo objetivo e intersubjetivo é *marcado* na atividade humana, no trabalho simbólico que se constitui nas interações. As atividades interindividuais se transformam em um processo intrapsicológico.

A breve análise de alguns episódios pode evidenciar como as interações e a posição de um "outro" como interlocutor são constitutivas no processo de elaboração mental e organização das experiências.

1º episódio:[3]

Uma pré-escola municipal, que atende filhos de colonos da zona rural. As atividades são organizadas em vários ateliês. A forma escrita de linguagem funciona de maneira informal – como possibilidade de organização, como memória – e, entre outras coisas, faz parte da rotina do grupo um registro diário no "Livro da Vida".

Duas professoras estão trabalhando com crianças entre quatro e seis anos de idade. Uma criança chama uma das professoras:

Mar:	Ruth, vem cá. Escreve aqui.
Ruth:	Escreve o quê?
Mar:	Escreve "Marcelo" (Marcelo é o nome da criança).
Ruth escreve "Marcelo".
Mar chama a outra professora: Sandra, vem cá. Lê aqui. (Mar aponta o nome que a Ruth havia escrito.)
Sandra lê "Marcelo".
Mar:	Agora escreve aí.
Sandra:	Escreve o quê?
Mar:	Escreve "Sandra".
Sandra escreve "Sandra".
Mar:	Ruth, vem cá. Lê aqui (aponta "Sandra").
Ruth lê "Sandra".
Mar:	Escreve aí.
Ruth:	O quê?

---

[3] Agradeço à Ruth Joffily Dias, professora da Escola Municipal de Educação Infantil Meia Lua, em Paulínia, cujo relato do episódio veio enriquecer o texto.

Mar: "Ruth".
Ruth escreve "Ruth".
Mar chama: Sandra, lê aqui.
Sandra lê "Ruth".
Mar: Agora escreve "leite".
...

As professoras, inicialmente, não se deram conta do processo, chegando mesmo a ponto de se sentirem imitadas diante da insistente solicitação da criança. A análise da situação, no entanto, apontou para as estratégias e os recursos de elaboração da criança que não só demandava, mas checava sempre, pela escrita e pela leitura de cada adulto, o que estava sendo dito e registrado no papel. A criança não indicava ter um "projeto" explicitado *a priori*. A elaboração foi se dando na dinâmica das interações. Protagonista nessas condições de interação, a criança convocava as professoras a assumirem, alternadamente, os papéis de escribas e leitoras, mediadoras do conhecimento e interlocutoras, empreendendo, nesse processo, um trabalho simbólico de organização das experiências sobre as marcas e as funções da escrita.

2º episódio:

Uma sala de aula de 2º ano, com 26 crianças ingressantes, entre quase sete e oito anos de idade. Zona de periferia, quase rural. A professora trabalha, desde o primeiro dia de aula, o funcionamento e a funcionalidade da escrita, no sentido de procurar apontar para as crianças, tanto formal quanto informalmente, as diversas possibilidades e funções dessa modalidade de linguagem. As crianças participaram da confecção de vários tipos e "versões" do alfabeto – da Xuxa, do Toquinho, de animais – tendo esse material exposto como referência para consulta na sala. Algumas palavras estão também pregadas na parede, em ordem alfabética. O quadro de presença com o nome das crianças, o calendário e dois textos são outros materiais dispostos na sala. As crianças podem manusear livros de histórias e ouvem, quase diariamente, a leitura de um livro pela professora.

Mês de maio. A professora encoraja as crianças a escreverem uma notícia para o jornal dos alunos. As crianças podem recorrer a qualquer estratégia para montar a notícia: perguntar ao colega, copiar de revista, consultar o material exposto na sala, pedir auxílio à professora etc.

Duas crianças conversam sobre a torneira do banheiro, que não está funcionando, apesar de já ter sido consertada anteriormente. Decidem escrever essa notícia para o jornal. Pat e Ale começam a falar e a repetir lentamente "a torneira está quebrada".

Ale: A gente quer escrever que a torneira tá quebrada, tia. Como que escreve?
Pat: A torne... é o "e", né tia?
Prof: Tem o "e".
Pat: Tá quebra... é o "a", né tia?
Prof: Também tem o "a".
Pat: Escreve "EA". A professora pede para o Ale ler.

Ale: Eeeee Aaaaa.
Prof: Eu também leio "EA". Vamos ver de outro jeito. Torneira, como será que se escreve "torneira" (pronuncia bem devagar)?
Pat: Tor... é o "o" (faz a letra O).
Ale: Ne... é o "e" (Pat faz a letra "E");
Pat: Ra... (faz a letra "A").
Prof: Agora lê, Pat.
Pat: Torneira.
Prof: Você acha que está escrito "torneira" aqui, Ale.?
Ale: Não sei, tia.
Prof: Então vamos ler juntos: "OoooEeeeAaaa". Não está faltando nada? "Tttooorrr..."
Ale: É o "T", não é, tia?
Prof: Certo. Eu vou soletrar, vou dizer o nome das letras pra escrever "torneira".

As crianças conhecem quase todas as letras pelo nome e, quando esquecem ou hesitam, é feita referência ao alfabeto exposto. A professora vai atender outros grupos. Pat e Ale continuam tentando escrever. A professora retorna ao grupo, verifica o que e como as crianças escrevem, acaba soletrando o restante da frase para elas. As crianças, agora, seguem adequadamente, com o dedo (fazendo corresponder dimensão sonora com extensão gráfica) o que foi escrito, lendo e mostrando para os colegas o resultado de sua produção.

É interessante analisar, no episódio em questão, que um dos objetos de estudo que se coloca para as crianças é a palavra escrita como código, o que torna altamente relevante o trabalho de explicitação da consciência fonológica desenvolvido pela professora (ela pede para as crianças lerem a própria produção, lê para as crianças, enuncia devagar o que as crianças dizem que querem escrever, soletra para elas etc.). No entanto, essa atividade não se esgota no "aprendizado" do código. Seu objetivo, sua finalidade é outra: é a notícia do jornal, é o trabalho de escritura para os outros lerem, é a possibilidade da interlocução pela forma escrita de linguagem. Daí a importância da leitura do "outro" (inclusive do "outro eu"), da mudança de papéis, e da ocupação de diferentes lugares no jogo das relações intersubjetivas (encorajados na dinâmica dessa sala de aula) onde as crianças podem se assumir como protagonistas no discurso.

Contudo, mesmo num contexto tido como favorável, não lidamos com interações sempre "tranquilas". Os espaços ocupados no jogo das relações intersubjetivas implicam disputas, tensões. Os diferentes modos de ver e de dizer o mundo configuram os conflitos, marcando as relações cotidianas. Outro episódio, numa escola, evidencia bem esse aspecto também constitutivo.

3º episódio:

Uma escola da zona central da cidade. Numa sala de aula de 2º ano, as quarenta crianças, todas ingressantes, haviam cursado o 1º ano. Era tida como a "melhor" classe de 2º ano da escola e considerada "média" pela professora. As crianças eram dispostas em fileiras de "fracos", "médios" e "bons". Essa discriminação é percebida e reforçada pelas crianças e revelada pelos comentários dos "bons" alunos: "Eles (os fracos) perguntam demais. Eles têm que se virar sozinhos. Conta historinha virada pra nós, tia! Eles não prestam atenção. Não precisa dar livros pra eles, eles não sabem ler nada mesmo."

Os comentários "infantis" com relação aos próprios colegas precisam ser analisados. Quando as crianças dizem: "Eles perguntam demais, eles têm que se virar sozinhos", evidencia-se uma pressuposição de que perguntar demais é errado. Por quê? Sobre o que as crianças perguntam? Quem responde? Como?

Evidencia-se também o mito da autonomia, que nos aponta outra pressuposição: a de que "independente e autônomo" é aquele que realiza sozinho as tarefas, sem perguntar; é aquele que não precisa dos outros. Isso, por sua vez, revela o mito da autossuficiência, que aponta e culpa os "fracos" e "incompetentes".

"Conta historinha virada pra nós, tia! Eles não prestam atenção.". Nesse dizer, a competição, a exclusão, a acusação, a censura. Como consequência, a repreensão, o castigo: "Não precisa ler pra eles, não precisa dar livros pra eles. Eles não sabem ler nada mesmo.". E o preconceito: "Eles não sabem ler" e a suposta decorrência: por isso não podem aprender e vão continuar não sabendo.

Ora, nessa situação, qual a função da linguagem? Qual a função da escrita? Que uso se faz da palavra? Qual o papel do "outro"?

A escrita, considerada apenas objeto que se adquire e se pode ter, funciona como instrumento de poder, como forma de avaliação do saber, como meio de discriminação e dominação. A palavra censura, acusa, deprecia, distancia. A fala de uns silencia outros. Torna-se opaco o fato de que o "ser forte" só se sustenta em relação ao outro, e que é pelas condições – motivos, momentos – dos lugares que cada um ocupa que se assume a posição de forte ou fraco. Nessas condições, a leitura é um privilégio; a literatura, um prêmio.

Os "ingênuos" comentários infantis revelam justamente as relações de força no jogo das interações na sala de aula. O que, por sua vez, revela a internalização de valores e do funcionamento de um discurso social. É nesse jogo, contudo, que vão se processando, que vão se elaborando as representações de funções e papéis sociais pelas crianças. É nesse jogo, também, que o conhecimento se constrói. A interação é, assim, constitutiva da atividade mental e do conhecimento e, desse modo, é também constituidora tanto do "leitor" quanto do "analfabeto".

O que acaba se revelando e se torna significativo nesta análise é o processo implícito de constituição dos "leitores" ou dos "analfabetos" que ocorre na dinâmica das interações e interlocuções cotidianas. A escola aparece como lugar de conflito, de confronto, e a linguagem se evidencia como constitutiva dos sujeitos e das relações, marcando as tensões e as contradições da estrutura social.

Episódios como esses que acabaram de ser sucintamente apresentados provocam a reconsideração da (muitas vezes, excessiva) "autonomia" centrada no (e cobrada do) sujeito-leitor e construtor do próprio conhecimento, enquanto aponta para a necessidade de uma análise mais abrangente no que diz respeito à constituição desses sujeitos e das práticas sociais de leitura. Esses episódios indicam como fundamental a consideração das condições sócio-históricas em que a atividade de leitura se produz, não só alertando para a função da mediação e para o significado da interlocução no processo de desenvolvimento, mas colocando em evidência a dinâmica das relações interpessoais constitutivas na elaboração do conhecimento da/pela escrita.

Bibliografia

BAKHTIN, Mikhail. *Marxismo e filosofia da linguagem.* São Paulo: Hucitec, 1981.

BARTHES, Roland. *O prazer do texto.* São Paulo: Perspectiva, 1977.

_____. Oral/Escrito: argumentação. In: *Enciclopédia Einaudi.* Lisboa: Imprensa Nacional/Casa da Moeda, 1987. v. 2 p. 33-57.

BELINKY, Tatiana. et al. *A produção cultural para a criança.* Porto Alegre: Mercado Aberto, 1982.

BENVENISTE, E. *Problemas de linguística geral.* São Paulo: Nacional/Edusp, 1976.

BOURDIEU, P. *A economia das trocas simbólicas.* São Paulo: Perspectiva, 1982.

FERREIRO, E.; PALACIO, M. G. (Ed.). *Nuevas perspectivas sobre los procesos de lectura y escritura.* México: Siglo Veintiuno, 1982.

FOUCAMBERT, J. *La manière d'être lecteur*. Paris: OCDL/Sermap, 1976.

GERALDI, J. W. (Org.). *O texto no sala de aula:* leitura e produção. Cascavel: Assoeste, 1984.

GIBSON, E.; LEVIN, H. *The psychology of reading*. Cambridge, MA: MIT Press, 1976.

GNERRE, Maurizzio. *Linguagem, escrita e poder*. São Paulo: Martins Fontes, 1985.

GOODMAN, K. *Miscue analysis:* application to reading instructions. Urbana: National Council of Teachers of English, 1976.

_____.; NILES, G. *Reading:* process and program. Urbana: National Council of Teachers of English, 1970.

JOHN-STEINER, V.; SOUBERMAN, E. Posfácio. In: VYGOTSKY, L. *A formação social da mente*. São Paulo: Martins Fontes, 1984.

KATO, M. *O aprendizado da leitura*. São Paulo: Martins Fontes, 1985.

LEMOS, Claudia T. G. Interactional processes and the child's construction of language. In: DEUTSCH, W. (Org.). *The child's construction of language*. London: Academic Press, 1981.

LENTIN, L. *Du parler au lire*. Paris: ESF, 1978.

LEONTIEV, A. *O desenvolvimento do psiquismo*. São Paulo: Novo Horizonte, 1981.

_____. Uma contribuição à teoria do desenvolvimento da psique infantil. In: VYGOTSKY, L. S.; LURIA, A. A. R.; LEONTIEV, A. *Linguagem, desenvolvimento e aprendizagem*. São Paulo: Ícone/Edusp,1988.

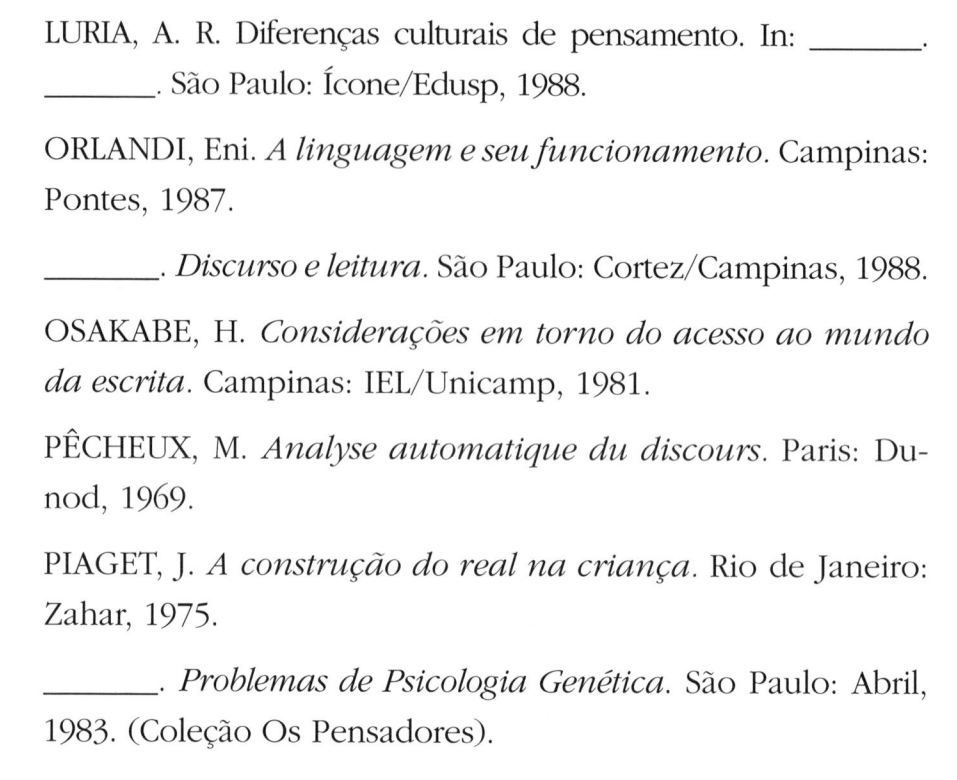

LURIA, A. R. Diferenças culturais de pensamento. In: _____. _____. São Paulo: Ícone/Edusp, 1988.

ORLANDI, Eni. *A linguagem e seu funcionamento.* Campinas: Pontes, 1987.

_____. *Discurso e leitura.* São Paulo: Cortez/Campinas, 1988.

OSAKABE, H. *Considerações em torno do acesso ao mundo da escrita.* Campinas: IEL/Unicamp, 1981.

PÊCHEUX, M. *Analyse automatique du discours.* Paris: Dunod, 1969.

PIAGET, J. *A construção do real na criança.* Rio de Janeiro: Zahar, 1975.

_____. *Problemas de Psicologia Genética.* São Paulo: Abril, 1983. (Coleção Os Pensadores).

SCRIBNER, S.; COLE, M. *The Psychology of Literacy.* Cambridge, MA: Harvard University Press, 1981.

SILVA, E. T. S. *O ato de ler:* fundamentos psicológicos para uma nova pedagogia da leitura. São Paulo: Cortez, 1981.

SILVA, Lilian L. M. *A escolarização do leitor:* a didática da destruição da leitura. Porto Alegre: Mercado Aberto, 1986.

SMITH, F. *Psycholinguistics and Reading.* New York: Holt, Rinehart & Winston, 1973.

SMOLKA, A. L. Projeto de incentivo à leitura. Relatório Inep/MEC/Sesu, 1985.

_____. *A criança na fase inicial da escrita:* a alfabetização como processo discursivo. São Paulo: Cortez/Campinas: Unicamp, 1988. Projeto de pesquisa.

_____. As interações na escola: um estudo sobre a palavra – oral e escrita – em dois contextos de sala de aula. Campinas: Unicamp, 1989.

TFOUNI, L. V. *Adultos não alfabetizados:* o avesso do avesso. Campinas: Pontes, 1988.

VYGOTSKY, L. S. *Thought and Language.* Cambridge, MA: MIT Press, 1975.

_____. *Mind in Society.* Cambridge, MA: Harvard University Press, 1978.

ZILBERMAN, R. (Org.). *Leitura em crise na escola.* Porto Alegre: Mercado Aberto, 1982.

_____.; MAGALHÃES, L. *Literatura infantil:* autoritarismo e emancipação. São Paulo: Ática, 1982.

_____.; SILVA, E. T. *Leitura:* perspectivas interdisciplinares. São Paulo: Ática, 1988.

Partilha e conflito de interpretações: um caminho para o desenvolvimento da linguagem do leitor infantil

Ezequiel Theodoro da Silva

Neste texto eu gostaria de refletir sobre uma questão que tem me preocupado muito nestes últimos tempos, qual seja, as *características do desenvolvimento social, intelectual, linguístico e afetivo das crianças brasileiras em sua relação direta com as práticas de leitura no âmbito da escola*. A gênese desta minha preocupação está amarrada ao fenômeno que muitos estudiosos chamam de "esquecimento", "ofuscamento" ou mesmo "apagamento do sujeito que lê" (neste caso, da criança que lê) –, fenômeno esse que é muito próprio daquelas sociedades fechadas e autoritárias, onde os indivíduos são massageados pela ideologia e manipulados pelas regras do consumo e da massificação. Num país com uma taxa altíssima de crianças órfãs, abandonadas e analfabetas, e onde existe até comércio e exportação de bebês, não há como fugir de uma reflexão profunda sobre o estatuto da infância e sobre o destino das novas gerações brasileiras. "A criança brasileira? Coitada!!", diria o observador mais crítico e perspicaz.

Somente agora o sujeito-criança parece ganhar um espaço maior de análise e discussão, transformando-se, por isso mesmo, em objeto de preocupação e de pesquisa em vários pontos do país. Ainda assim, e considerando a grande quantidade e variedade de crianças deste país, dentro ou fora das escolas, são poucos – muito poucos – os estudos que tratam, por exemplo, de questões relacionadas com a estética da recepção, com a compreensão e a fruição de textos diversos, com o consumo de informações transmitidas por diferentes veículos de comunicação, com a experiência literária construída pelas crianças ao longo de sua trajetória acadêmica etc. Por outro lado, os poucos estudos existentes nessas áreas encontram-se dispersos – como que "perdidos e empoeirados" nas prateleiras das bibliotecas universitárias –, carecendo de síntese, sistematização e divulgação – trabalhos esses que poderiam, sem dúvida, fornecer conhecimentos mais objetivos sobre as crianças brasileiras em suas interações ou possibilidades de interação com a literatura e com outros tipos de materiais escritos.

Para tematizar a relação entre literatura infantil e desenvolvimento da linguagem, temos de trazer à baila e tecer na reflexão alguns aspectos essenciais sobre o desenvolvimento total da criança, tentando relacioná-los com a leitura da literatura e com a consequente inserção dessa criança no mundo da escrita, em termos de vivência de situações e de convivência com livros. Nesse sentido, vou aproveitar ao máximo este texto para falar mais detidamente sobre alguns princípios e aspectos oriundos da psicologia do desenvolvimento infantil, na tentativa de compreender melhor essa capacidade que as crianças têm para ler o mundo e os símbolos que o expressam. Convém lembrar que esses princípios e aspectos geralmente passam por alto nos estudos sobre a literatura infantil ou simplesmente nunca são devidamente tematizados, privilegiando-se as indagações acerca dos objetivos artístico-literários em detrimento da análise da criança que lê ou que tem potencial para ler, como se a literatura infantil pudesse existir fora da experiência social, fora dos circuitos concretos de leitura, que lhe dão vida e significado. De nada adianta ao professor ser um grande conhecedor das produções literárias infantis e acompanhar os últimos lançamentos, se ele não tiver sensibilidade e compreender, pelo estudo da teoria e pela vivência da prática, os processos subjacentes ao desenvolvimento biológico, psicológico e social das crianças.

Faço parênteses para confessar o meu espanto frente ao abismo que separa as teorizações sobre as crianças brasileiras da realidade concretamente vivida por elas. Mais do que isso, me espanto, muitas vezes, com a total ausência de teorizações que sirvam para sustentar, crítica e coerentemente, as práticas pedagógicas na área da literatura infantil e da educação em geral. Quando não são inocentemente conduzidos pelas teorias associacionistas da instalação de hábitos, muitos professores ainda abordam o desenvolvimento infantil com base em categorias rígidas e não são poucos os que tomam a criança como um "adulto em miniatura", desprezando o fato de que

> a criança real, que vive sua vida de criança (...) não é uma miniatura, uma larva, nem um anormal; simples e radicalmente a criança é diferente do adulto. Ela vive colocada no mesmo meio que o adulto, se vale das mesmas capacidades instrumentais (como a linguagem, por exemplo), mas com alcances qualitativo e quantitativo diferentes. A criança não requer um mundo especial, nem um tratamento basicamente diferente; ela só exige, como nós adultos, respeito por sua personalidade, isto é, o direito de interpretar e modificar o mundo de acordo com o grau de integração e desenvolvimento de seus níveis neurofuncionais e de suas funções psíquicas.[1]

Dessa forma, é um absurdo querer edificar para a criança um mundo de fadas, retirado e distante da totalidade da vida social, ou então querer "adultizar" a conduta e o pensamento dessa criança, não levando em consideração a peculiaridade de seus interesses, de suas capacidades e de seus problemas, bem como os condicionamentos históricos, temporais e espaciais a que está submetida. Jean-Jacques Rousseau não considerou muito bem esses elementos e deve estar, até hoje, procurando um mundo que corresponde à alma pura e não corrompida de seu Emílio. A vertente de trabalho idealista e romântica ainda está muito presente no tratamento com crianças e temos de tomar um certo cuidado com ela.

---

[1] MERANI, Alberto L. *Psicologia infantil*. Tradução de Carlos Henrique Escobar. Rio de Janeiro: Paz e Terra, 1972. p. 9-10.

Estou insistindo, neste texto, para que compreendamos o *ser criança,* o *sujeito-criança* de modo que a literatura infantil, como uma possibilidade de prazer estético e de conhecimento, não fique perdida no espaço e nem venha a parecer um corpo estranho àqueles para quem se destina. Essa minha insistência tem sua razão de ser mesmo porque não quero tomar a criança como um pressuposto prefixado e nem quero que ela fique simplesmente subentendida. Quero, isto sim, induzir esta análise para um entendimento crítico da criança e das circunstâncias que a envolvem em nossa sociedade de modo que o poder instrumental da leitura e o amor pela literatura, comumente (mas não necessariamente) adquiridos e desenvolvidos no período da infância, possam ser devidamente consolidados em termos de vida e de mudança social. Em nome do ensino da leitura e em nome da importância da literatura se cometem crimes pedagógicos terríveis nas escolas deste país, e a principal razão desses crimes parece recair na falta de sensibilidade dos professores para com esse importantíssimo estágio do desenvolvimento humano chamado infância. Estudos recentes sobre a relação entre leitura e educação escolarizada mostram como grande parcela das nossas escolas públicas, ao invés de desenvolver e consolidar o gosto pela leitura nos alunos de Ensino Fundamental, consegue exatamente o oposto, ou seja, uma aversão das crianças por qualquer tipo de material impresso.

Visto sob o ângulo da psicologia dialética, o conceito de desenvolvimento implica, sempre, mudanças qualitativas do pensamento e da ação do ser humano durante sua trajetória de vida em sociedade ou, como querem alguns, no devir de sua existência em uma sociedade historicamente situada. Essas mudanças ocorrem por saltos ou transições, o que nos permite: 1º) detectar e visualizar a criação, pelo sujeito, de funções ou capacidades instrumentais, cognitivas e afetivas, aqui entendidas como meios utilizados no enfrentamento das circunstâncias e das exigências sociais, e 2º) isolar determinadas etapas de construção, organização e consolidação dessas capacidades, comumente chamadas de "estágios de desenvolvimento". Psicólogos como Pende, Freud, Kohlberg, Erik Erikson, Gibson e Piaget, a partir de determinados pressupostos, focos de observação e pontos de vista, chegaram a delinear, cada um deles, hierarquias evolutivas desses estágios, muitas das quais transmitidas aos professores em cursos de psicologia da educação e do desenvolvimento. Não querendo explicitar aqui tais hierarquias, gostaria de fincar a ideia de que "o desenvolvimento procede numa série de fases com períodos alternados de crescimento rápido, acompanhados por um desequilíbrio seguido por períodos de calma relativa ou consolidação".[2]

É importante ressaltar que a passagem de uma etapa desenvolvimental para outra depende da estrutura sociocultural onde a criança está inserida. Mais especificamente, o florescimento, a organização e a consolidação de novas capacidades (biológicas, cognitivas, linguísticas e afetivas) dependem da densidade dos estímulos socioculturais encontrados pela criança no meio onde vive; esses estímulos, tomados em suas

---

[2] BEE, Helen. *A criança em desenvolvimento*. Tradução de Rosane Amador Pereira. 3. ed. São Paulo: Harper & Row do Brasil, 1984. p. 380.

dimensões quantitativa e qualitativa, impõem desafios e demandas no nível da *ação sobre* e da *relação com* objetos e entes específicos. Com essa colocação fica mais fácil entendermos que os estágios de desenvolvimento são etapas da vida do ser humano repletas de experienciação e construção, de novas descobertas e de práticas inovadoras, permitindo o enfrentamento e a transformação das circunstâncias presentes no meio sociocultural. Daí que quando uma criança desenvolve e domina uma nova capacidade, ela se satisfaz e repete ou pratica essa nova capacidade inúmeras vezes com o intuito de consolidar e estender esse domínio e aumentar mais ainda seu grau de satisfação, preparando-se para novos desafios. Acredito que todos os pais já viram seus filhos exibirem incessantemente seus desenhos, depois de adquirirem a capacidade de representação do mundo através de traços, figuras e cores. Mesma coisa com aquela criança que, depois de dominar a capacidade de ler, vai lendo em voz alta todos os símbolos escritos que lhe aparecem à frente, quando em um passeio ou uma viagem, por exemplo.

 Vemos, então, que a criança constrói sua experiência ao longo de seu processo de desenvolvimento, em função da densidade de estímulos e das incitações de seu meio sociocultural. Sem esses estímulos e sem essas incitações, colocados nos picos de cada uma das transições do desenvolvimento infantil, as novas capacidades ou funções, próprias de cada estágio evolutivo, permanecem latentes, ou seja, não afloram e nem se consolidam, pois que não se permite sua expressão nas ações, nos conhecimentos e nas experiências da criança.

Com base nessa dinâmica geral do desenvolvimento humano e sabendo que ela se constitui a partir da dialética "indivíduo/ meio sociocultural", convém recuperarmos e discutirmos agora alguns princípios e aspectos mais diretamente relacionados com a capacitação da criança para a prática da leitura, em especial para a fruição do texto literário.

Na área do desenvolvimento perceptivo, creio ser importante discorrer um pouco sobre o *princípio da discrepância*, sistematizado por Jerome Kagan e que encontra plena sustentação nas pesquisas e nas observações feitas por Jean Piaget. Em termos bem gerais, o princípio da discrepância estabelece que a criança olhará, ouvirá, tocará ou usará objetos que são moderadamente discrepantes daqueles que ela já experimentou anteriormente. Assim, na linha evolutiva de seu desenvolvimento, é fundamental que a criança se defronte com níveis moderados de novidade de modo que ocorra a assimilação de novas experiências ao repertório das experiências que ela já tem. Em outras palavras, para que ocorra mudança e incremento na experiência da criança, sua área de ação deve ser necessariamente contemplada com novos objetos e com novas formas simbólicas; caso contrário, existe o risco da estagnação, pois a curiosidade da criança fica impossibilitada de ser exercida e praticada. A mesmice, sabemos, coloca-se como um sério bloqueio a qualquer tipo de mudança e desenvolvimento.

O princípio da discrepância gera uma série de implicações pedagógicas, principalmente no que tange aos tipos de literatura a serem ofertados à criança. Assim, se os textos – literários ou não – colocados à disposição da curiosidade da criança forem redundantes em termos de forma e de conteúdo temático, existe o risco de estagnação de sua experiência de leitura, por falta de novidade e, consequentemente, de desafio. Sem o componente da discrepância incitando a novos arrojos da imaginação e a novas descobertas, a criança patinará no mundo da circularidade literária, caindo no desinteresse e na apatia e, o que é pior, não colocando em prática as novas funções ou capacidades em direção à conquista de sua maturidade como leitora. Resulta daí que o componente curricular de leitura (de literatura e de outros tipos de texto) não pode deixar de levar em conta uma *ordem* ou *sucessão,* com os professores sempre atentos a uma diferenciação crescente de temas, modalidades e gêneros literários, no sentido de aprimorar a capacitação na área dos processos de leitura e, ao mesmo tempo, no sentido de atender à demanda ou aos anseios das crianças por novidade em suas diferentes etapas de desenvolvimento. Essa ordem ou sucessão, vale a pena dizer, não é e nem poderia ser fixa e linear – do tipo para-tal-idade-tal-livro ou para-tal-ano-escolar-tal-livro –, pois ela deve ser construída fundamentalmente pelas crianças-leitoras mediante práticas cada vez mais desafiadoras de leitura e conhecimento, a partir de suas indagações, inquietações e interesses. Os professores, neste caso, fazem a mediação entre os leitores e os livros, observando, facilitando, partilhando, dirigindo esse processo dinâmico e, o mais importante, aprendendo com ele. Qualquer descuido dos docentes pelo caminho que os leitores tentam construir em sua trajetória de crescimento será extremamente prejudicial, gerando sérias lacunas no nível da experiência de leitura.

A insistência da escola brasileira na oferta impositiva de leitura com conteúdo didático e moralizador ou, ainda, na atribuição unidirecional e redundante de sempre-os-mesmos--livros-e-os-mesmos-autores, desconsiderando a caminhada e os interesses das crianças, coloca-se como um contrassenso e como um fator que leva, sem dúvida, à morte paulatina do potencial de leitura das crianças. Por outro lado, pensando nesse crescendo de experiências mediadas por livros desafiadores, sem o que não há coerência programática, devemos enfatizar a real necessidade de integração dos professores dos diferentes anos e dos diferentes graus escolares de modo que exista continuidade e sequência nesse trabalho. Na ausência de integração e de comunicação real entre os professores, em benefício dos alunos-leitores, continuaremos a falar aos ventos sobre a importância da convivência com a leitura, sem poder e sem saber como concretizar, na prática, ações pedagógicas consequentes. E o leitor que se dane no círculo da inconstância, da mesmice e da barafunda escolar!

Na vertente do desenvolvimento linguístico, não posso deixar de destacar a *qualidade inventiva da linguagem da criança,* o que significa dizer que ela (a criança) não copia ou imita *ad eternum* as estruturas linguísticas que ouve ou lê, mas inventa-as de acordo com sua própria gramática e de acordo com sua capacidade de imaginação. Por outro lado, a densidade da linguagem falada e/ou escrita, presente nas situações vividas pela criança, desempenha um papel crucial em seu desenvolvimento e em seu conhecimento do mundo. Regina Zilberman, ao tratar desse mesmo assunto em sua relação com a leitura do texto literário, diz que quando se compromete com o interesse da criança, a literatura infantil transforma-se num meio de acesso ao real, na medida em que lhe facilita a ordenação de experiências existenciais, através do conhecimento de histórias, e a expansão do seu domínio linguístico.[3]

Na base dessa afirmação de Regina, coloca-se a relação dinâmica entre linguagem e realidade; assim, a fruição do texto literário, pelas práticas do ouvir e/ou ler, configura-se como uma janela através da qual o sujeito-leitor pode compreender melhor o mundo e organizar suas próprias experiências.

Enquanto experiência de linguagem e, ao mesmo tempo, de revelação, descoberta e aprofundamento de referenciais de realidade, a leitura da literatura infantil influi significativamente no processo de desenvolvimento da criança. Além da usufruição do texto literário, que é, em si mesmo, um processo criativo, a aventura do ler vai permitir à criança um refinamento de sua razão (inteligência) pelas reflexões feitas acerca do possível e do impossível, acerca dos problemas de seu tempo e de seu contexto. Por outro lado, conduzida por sua capacidade de imaginação e pela inventividade de sua linguagem, a criança é capaz de criar sínteses, funções ou prolongamentos dos elementos extraídos de uma ou mais histórias. Dessa forma, as incursões da criança no imaginário proposto pelos livros de ficção não se constituem apenas em instrumentos de revelação do real, mas devem

---

[3] ZILBERMAN, Regina; MAGALHÃES, Lígia C. *Literatura infantil:* autoritarismo e emancipação. São Paulo: Ática, 1982. p. 14.

ser entendidas, também, como condições para a construção e transformação do real.

Em recente visita que fizemos a um *shopping center* de Campinas, minha filha Marília, de seis anos, deu um forte puxão no meu braço e me disse, baixinho: "Olha ali, pai, um homem com aids!". Como havia muita gente passando, eu olhei e não vi nada. Meio espantado e surpreso, perguntando a mim mesmo se seria possível identificar um sujeito com aids passeando num *shopping center*, eu rapidamente me abaixei e perguntei: "Onde, onde? Me mostra!". E ela, dentro dos limites de seu mundo interpretativo, me apontou um rapaz que apresentava um curativo com gaze e esparadrapo em de seu olho esquerdo... Os leitores deste texto podem imaginar a "barra" que foi explicar para ela que aquele curativo não indicava, necessariamente, um portador de aids. E um amigo meu, com filho mais ou menos na mesma idade, quase caiu de costas quando o Júnior lhe jogou a seguinte pergunta: "Pai, pra gente combater a aids, é melhor camisa de manga curta ou de manga longa?".

Esses dois incidentes, ainda que tendendo para o cômico, são extremamente elucidativos, pois mostram que as crianças leem e interpretam o mundo de acordo com o grau de desenvolvimento de suas funções cognitivas e afetivas. E nós, adultos, temos muito a aprender com essas interpretações. Imagine quando o problema é levado para o terreno da leitura e da interpretação do texto literário, polissêmico por natureza e polivalente em termos de significações –

> a verdadeira narração fantástica é, de imediato, e por essência, suscetível a várias leituras, pode ser compreendida,

sentida e vivida em vários planos, revela-se multívoca. A narração fantástica convida (...) mais que qualquer outra, a uma "leitura aberta", ou mesmo a leituras sucessivas e múltiplas.[4]

Conhecer, discutir e aprofundar as várias interpretações atribuídas aos textos literários – eis aí um caminho coerente para o desenvolvimento do leitor infantil, sob todos os aspectos. Isso porque "a leitura crítica sempre leva à produção ou construção de um outro texto: o texto do próprio leitor. (...) a leitura crítica sempre gera *expressão:* o desvelamento do *ser* do leitor".[5] Experienciar, pelo diálogo, pela partilha e pelo conflito, as várias alternativas de interpretação dos textos literários é, sem dúvida, uma condição essencial ao alargamento da compreensão do mundo pela criança – compreensão essa que traz consigo o alargamento de seu domínio linguístico.

A questão é saber se a escola, por intermédio de seus professores, propicia tempo e espaço para a expressão e a partilha das interpretações, em uma atmosfera democrática, livre, não autoritária. A questão é saber se a escola não pedagogiza o rumo das interpretações, invadindo a subjetividade das crianças e dirigindo-a para o "certo e consagrado". A questão é saber se a escola está interessada em cultivar a imaginação criadora e a sensibilidade das crianças, vistas aqui como capacidades de experimentação e organização da realidade. A

---

[4] HELD, Jacqueline. *O imaginário no poder:* as crianças e a literatura fantástica. Tradução de Carlos Rizzi. São Paulo: Summus, 1980. p. 30-3.
[5] SILVA, Ezequiel T. *O ato de ler:* fundamentos psicológicos para uma nova pedagogia da leitura. 4. ed. São Paulo: Cortez/Autores Associados, 1987. p. 81.

questão é saber se a escola adota uma pedagogia dialógica, que procura conhecer e levar em conta as reais necessidades e os interesses concretos das crianças. A questão, enfim, é saber se a escola está *decididamente* comprometida com o desenvolvimento da criança – *desenvolvimento esse que a prepare adequadamente para a transformação desta sociedade absurda e podre em que vivemos.*

Poesia e consciência linguística na infância

Maria da Glória Bordini

A poesia infantil, assim como as demais formas da literatura destinada às crianças, inclui em si, como componentes estruturais específicos, a transitoriedade etária de seu receptor e suas limitações linguístico-cognitivas. Isso significa que o poema infantil pode perder sua potência significativa à medida que o leitor avança no tempo, bem como pode não conseguir falar a leitores em fases etárias para as quais não foi intencionado.

Veja-se um poema como este de CIÇA (1985, p. 7), que, com base numa breve anedota, utilizando algumas repetições de palavras e rimas para identificar-se como discurso poético, joga com um trocadilho simples, mas gracioso, a fim de obter efeito cômico:

Era uma vez uma ovelha
que tinha um belo casaco,
casaco de pura lã.
Um dia lhe deu na telha
– pois era uma ovelha esnobe –
comprar um casaco novo.
Depois dizia pro povo,
arrebitando o nariz:
– O outro era muito pobre.
Este, eu trouxe de Baaaaaaris!

Esse texto parecerá infantil a uma criança de dez anos, enquanto fará as delícias de uma de cinco, cujo nível de apreensão de formas linguísticas semelhantes ainda está em processo de formação e precisa de um bom esforço interpretativo para descobrir a graça do poema.

À diferença da poesia – literatura – escrita sem essa orientação para um leitor especial, os poemas infantojuvenis tendem a perder seus leitores quando estes se consideram emancipados de necessidades lúdico-sonoro-ideativas próprias de seu estágio de desenvolvimento, o que explica por que o pré-adolescente despreza as rimas de infância e as cantigas de roda e por que o jovem em geral renega as formas poéticas que lhe chegam via escola e não por sua própria escolha.

É evidente que a transitoriedade do leitor imprime no texto marcas que o distinguem, em decorrência das tentativas do autor-adulto de transpor o abismo etário e experiencial, adaptando temas, técnicas compositivas e discurso aos níveis de apreensão linguística e intelectual do leitor-criança que a obra tem em mira.

Sem embargo, não são esses traços adaptativos que conferem ao texto poético infantil seu caráter passageiro, relegando a poesia para crianças ao plano de avaliação crítica depreciativa que ela frequentemente ocupa em nossa sociedade. É sabido que a grande arte poética preserva e dialoga com formas rimadas infantis e que, na história de leitura do adulto, permanecem peças adquiridas na infância com plena vigência significativa – por exemplo, as que salientam o jogo sonoro, os paralelismos sintáticos ou a representação de um mundo pelo avesso.

Se essa persistência pode ser, com certa malícia, atribuída ao apego à liberdade lógica e ao egocentrismo da idade infantil, sendo, pois, interpretável como atitude regressiva, também não se pode negar que essas mesmas características dos poemas para crianças respondem a uma relação angustiada do adulto com o mundo social crescentemente administrado em que vive. Assim, vale a advertência de que a literatura, qualquer que seja sua intencionalidade no momento da criação, consegue durar enquanto dialoga com o leitor propondo-se a transformá-lo e a transformar-se sob a sua leitura, como o entende Iser (1983, p. 381).

Sendo o poema uma forma literária em que a linguagem sobressai, valendo-se de recursos compositivos voltados não para fins práticos, mas estéticos, produz-se, da mobilização altamente organizada dos elementos linguísticos no texto, o que se costuma denominar de efeito poético, ou seja, a relativa autonomia dos signos quanto a seus referentes no mundo, provocando a re-visão desse mundo de uma perspectiva não automatizada.

A significação dos signos poéticos se constrói não predominantemente pela designação dos referentes por eles assinalados, mas no contexto interno do poema, pela renovação semântica que estabelecem com os signos vizinhos. Resulta do todo que assim se torna independente do contexto externo à criação de um novo universo de significações, o qual, por sua vez – sendo da natureza da linguagem as funções expressivas da subjetividade do emissor, representativas do mundo e apelativas à atenção do receptor – entra em relação indireta com o real, no sentido de que afeta o conjunto de representações que os homens dele fazem em diferentes momentos e sociedades históricas.

Diz Mukarovski (Toledo, 1978, p. 165), que

> a denominação poética difere da denominação comunicativa pelo fato de que sua relação com a realidade é enfraquecida em benefício de sua inserção semântica no contexto. As funções práticas da língua, ou seja, a representação, a expressão e o apelo, acham-se subordinadas, na poesia, à função estética. Graças a ela, a atenção concentra-se no próprio signo (...) O enfraquecimento da relação da denominação poética com a realidade imediatamente referida por todo signo particular é contrabalançado pelo fato de que a obra poética mantém, enquanto denominação global, uma relação com o universo inteiro, tal como este se reflete na experiência vital do sujeito receptor e emissor.

No caso da poesia infantil, a atenção sobre o signo corre o risco de esmaecer-se, tendo em vista a assimetria entre autor-adulto e leitor-criança, que pode determinar uma compreensão inadequada do processo adaptativo. Nesse caso, seja no plano estético ou no ideológico, a tendência adulta de ensinar os bons costumes e certas noções básicas sob forma linguisticamente lúdica, ou a de facilitar a representação do mundo para um intelecto em formação, a partir da infantilização do discurso e da redução do plano semântico a esquemas, ataca o efeito poético pela raiz, desvalorizando a poesia infantil como possibilidade de arte literária.

A questão está no desequilíbrio entre a emissão poetizante – que sempre deveria ser linguisticamente exigente, do ponto de vista estrutural – e a recepção possível dessa poeticidade, segundo as condições psicobiológicas e socioculturais da criança. Diferentes soluções para esse desacerto fundamental foram encontradas em nossa história literária, cabendo recordar os poemas de exaltação moral e cívica de Olavo Bilac, que pecavam por excesso de dependência de uma visão ideologizada do real, ou certos textos de Cecília Meireles, em que a vocação pedagógica representa a criança como um ser desajustado e carente de correção carinhosa. Se tais manifestações literárias não atingem a autonomia desejável, diminuindo-se assim sua força crítica garantida pela relação indireta com a cultura social, nem por isso abandonavam o trabalho sobre o signo – que consagrou essa poesia junto à crítica e ao grande público da época, graças à maestria de sua execução linguística (mesmo porque corroborava a retoricidade das normas ideológicas introjetadas pelas massas).

O problema ocorre quando, à manipulação ou pobreza no plano das significações une-se a deficiência no agenciamento das instâncias linguísticas, acabando o autor por renunciar à especificidade de seu fazer poético, o que degrada a grande maioria das produções poéticas para a infância ainda hoje e com frequência redunda em livros com poemas desiguais, em que poucos se salvam, no conjunto.

O importante, desse ângulo essencialmente literário, é que a poesia infantil supere o desencontro entre autor e leitor pelo trabalho compositivo esmerado e consciente de que há diferenças efetivas entre o poético para adultos e aquele para crianças, diferenças que requerem uma tomada de posição ao lado da criança, sem a falsa pretensão de igualdade, mas também sem o peso da superioridade adulta.

Ignorar ou superdimensionar esses fatores diferenciais significa não alcançar o efeito poético. Diante da diferença, diz Zilberman (1982, p. 84),

> caso o escritor obtenha uma solução esteticamente convincente para esse dilema, ele conquista enfim o estatuto artístico, o reconhecimento e o prestígio que até então têm sido sonegados à produção literária para crianças.

A principal dificuldade da poesia infantil é descobrir o ponto de equilíbrio entre os modos compositivos de obter o centramento da atenção sobre o signo, sem romper com a relação indireta do todo poético com o horizonte de representações de seu receptor criança. O poema entra em diálogo com esse horizonte só quando opera pelo desvio, isto é, quando leva em conta o *status* de aquisição das normas linguísticas do receptor (ou não há comunicação) mas subverte tais normas, abrindo-lhe perspectivas novas de comunicação com o mundo humano.

Leia-se o poema de Caparelli (1985, p. 51), que tematiza um desengano amoroso adolescente, intertextualizando a *Procissão de pelúcia,* de Cecília Meireles, no plano sonoro:

EU E OS BOMBONS

Mariana passa sempre pela praça
só hoje é que não passa
e eu, aflito, com essa caixa de bombons!
Oh, Mariana, aparece, vê se passa,
dê o ar de sua graça
pois já se derretem os bombons
melam, viram pasta,
que desgraça!
E eu de guarda
com a caixa,
olho a esquina,
e tu não passa, Mariana,
e gentes me olham
refletido na água
quem o bobo?
o palhaço com a caixa?
e eu não ligo

> e vejo se tu passas, Mariana,
> mas, nada, ela não passa,
> só de pirraça.

Nesse texto, Caparelli ressalta o torneio cotidiano do fraseado dos versos livres, bem à maneira do léxico de um garoto comum, cabendo ao ritmo nervoso, irregular, a criação da atmosfera tensa do namorado recente. O autor, porém, não utiliza gírias etárias e prefere assegurar a identificação do leitor com o tema pela aliteração contrastiva dos *pp* e *ss*, *qq* e *nn*, numa onomatopeia do movimento dos passantes e do alvoroço envergonhado do herói, evocando, por esse meio, a nostálgica *Procissão de pelúcia,* que também se situa numa praça e fala em perdas, mas não explicitamente, e a partir de uma dicção adulta e não de criança, com forte efeito de *nonsense*. Estabelece-se, assim, uma relação de absurdo, que transita do poema de Cecília para a situação do namorado de Mariana, reforçando seu sentido de incompreensibilidade dos desencontros amorosos. Todo esse complexo de significações aflora em versos aparentemente singelos, bem acessíveis à competência linguística de um leitor da mesma faixa etária do herói.

A competência linguística tem início desde que a criança adquire domínio sobre certos fonemas e, combinando-os, se faz entender, mesmo que não conheça o léxico de sua comunidade. Mais tarde, dependendo de sua posição em grupos e classes sociais determinados, ela incorpora vocábulos e padrões sintáticos correntes em seu ambiente, os quais podem (ou não) entrar em conflito com a chamada norma culta, o código linguístico imposto pelas elites dominantes, que o jovem precisa aprender para não se inferiorizar socialmente.

A poesia, relacionando-se com essa competência, que talvez não seja inata, mas que certamente se modifica na passagem do *status* infantil para o adulto, precisa haver-se com três obstáculos linguístico-ideológicos:

1) por tradição, o emissor adulto trabalha com a norma culta (mesmo o que chamamos poesia folclórica é registrado e depois lido em termos de norma culta);
2) o poema não pode dar conta da multiplicidade concreta de competências psicolinguísticas de seus receptores-crianças; e
3) o texto deve se efetivar pela tensão entre as normas acatadas e as que propõe, se não quiser perder em comunicabilidade ou em poeticidade.

É visível a incompatibilidade entre esses três fatores, que o poeta para crianças procura resolver por conciliação, sem garantias de sucesso. Assim, ele:

1) aproxima-se do desempenho oral da criança ou das camadas populares, traduzindo-o por sua arte em termos cultos, o que gera a transformação sub-reptícia da norma dominante;
2) idealiza um receptor mirim médio, representando-o dentro do poema, seja como sujeito poético, seja como voz ou como personagem, fornecendo aos diversificados receptores reais um suporte textual de identificação linguístico-ideológica, a ser aceito ou rejeitado, mas com o qual o leitor concreto pode conversar; e

3) determina, de acordo com as normas estéticas vigentes, o horizonte de expectativas do texto em termos de norma e desvio, criando certa distância entre o que a sociedade infantil espera do poema como objeto linguístico e o que ele lhe dá, o que pode ser menos, o mesmo ou mais do que o esperado e, assim, estabelece o grau de maior ou menor poeticidade.

A competência linguística da criança, em virtude de tais estratégias textuais, não constitui impedimento insuperável à fruição do poema genuíno, pois o escritor pode adequar seu texto a ela por esses vários caminhos, isolados ou combinados. Observe-se como se opera a adaptação no poema de Elias José (1987, p. 28):

CIGARRA MODERNA

Ci-ci-ci-ci-ci-ci
é a cigarra,
cantora de garra,
a melhor que já ouvi.

Ci-ci-ci-ci-ci-ci
é a cigarra,
cantora mais bacana
que qualquer baiana
das estrelas daqui.

Ci-ci-ci-ci-ci-ci
voz que não desafina,
é a cantora mais fina
de todas daqui.

Cheia de brilho
e vidrilho
é o mais alto astral,
a estrela que todo mundo vê,
o maior pique da tevê.

Mas já houve um tempo
que era um inferno
passar no relento
todo o inverno.

Hoje, pra desfazer a lenda
e acabar com intrigas,
dá parte de sua renda
pro sindicato das formigas.

O elemento onomatopaico em refrão, as rimas misturadas, bem como os versos e as estrofes não regulares, atendem ao mesmo tempo a expectativas já criadas pela poesia folclórica – repetição fônica e cadências marcadas – mas rompem com a fixidez rítmica, sugerindo uma vida de cigarra dinâmica, que o aproveitamento de chavões populares e provenientes dos mídia acentuam. A modernização da fábula da cigarra, no plano semântico, assim sublinhada nos outros planos do verso, da rima, do léxico etc., inclui uma voz que fala em defesa do inseto usualmente desprezado, não em termos compassivos, como certas adaptações didáticas, mas de relações de trabalho históricas e modificáveis.

Tudo isso, porém, não contraria o potencial linguístico de uma criança medianamente informada e exemplifica as modalidades de adaptação antes referidas: a exploração da oralidade, o receptor mirim representado como alguém que acompanha as estrelas dos mídia e pode verificar as semelhanças da cigarra com elas, e a inversão inesperada de uma fábula conhecida, contrariando expectativas e produzindo o riso.

Outro membro da relação competência linguística-adaptação é a qualidade fluente da competência linguística infantil, que não é estanque e, portanto, pode ser alterada também pelo poema, se este a desafiar, forçando-a a acomodar-se a ele. A resistência infantil ou juvenil diante da poesia não assinala nada mais do que a defesa diante da mudança das normas já adquiridas, algo tanto mais perturbador à medida que o ser humano se desenvolve.

Um texto experimental como o de Carroll (1977, p. 197--198), aparentemente incompreensível, quando analisado por critérios bastante arbitrários, adquire um sentido aceitável por uma criança e aponta tanto mais para a estrutura da linguagem poética quanto mais se recusa à compreensão imediatista:

JAGUADARTE

Era briluz. As lesmolisas touvas
    Roldavam e relviam nos gramilvos
Estavam mimsicais as pintalouvas
    E os momirratos davam grilvos.

(Tradução de Augusto de Campos)

Para que Alice possa compreender o poema, Humpty--Dumpty precisa explicar apenas o léxico. "Briluz" é o "brilho da luz às quatro horas da tarde", quando se passa a cena descrita nos versos. "Lesmolisas" significa "lisas como lesmas". "Touvas" são bichos que "têm algo de toupeiras, algo de lagartos e algo de saca-rolhas, e têm pelos espetados como escovas". "Roldavam" é "rodavam em roldão" ou "como uma roldana" e "relviam" não é senão "se revolviam na relva". "Gramilvos" são "tufos de grama plantados em torno dos relógios de sol, onde se ouvem os silvos das serpentes", acrescenta Alice entusiasmada, ao que continua Humpty-Dumpty: "mimsicais" são "mimosas e musicais", "pintalouvas" são "aves canoras meio pintassilgos e meio louva-a-deus", "momirratos" são "ratos careteiros ou carnavalescos" e "grilvos" são "misturas de gritos com silvos bem agudos, com algo no meio parecido com o chilro dos grilos". Do quadro fantástico decorrente de tais representações, ressalta sua natureza integralmente fundada no discurso, o qual, por sua vez, tem suas estratégias de significação postas à luz sem piedade, dispensando tratados de linguística ou semiótica, mas respeitando o repertório cognitivo do receptor.

É por esses recursos de superação da assimetria que a poesia infantil pode tornar-se, a partir da fruição estética, uma das muitas fontes de conscientização do leitor-criança quanto à linguagem em si e quanto às correlações entre ela e a vida. A atenção concentrada sobre o signo, decorrente da estrutura específica do texto poético, que paraleliza vários níveis linguísticos do discurso pelo princípio da equivalência, como quer Jakobson (Cf. s.d., p. 130), é o caminho para despertar a percepção das possibilidades da linguagem na criança.

O jogo de sonoridades iterativas, melódicas, polifônicas, determinado pelos ritmos imprimidos aos fonemas da língua, associados ou entremeados de pausas e curvas de entonação, realça o lado dos significados, enquanto o emprego figurado ou não do léxico, a posição das palavras no verso e na estrofe e sua repetição ou coincidência fono-morfossintáticas retrabalham o lado dos significados. Como significantes e significados se unem nos signos por acordo arbitrário de uma comunidade, o trabalho artístico não pode alterar demais esse consenso, mas pode intervir criativamente nos eixos de seleção e combinação dos signos, o que obriga o receptor a deter-se na linguagem, a apalpá-la e a degustá-la, tanto mais quanto sua capacidade de observação e análise se apurarem sob o impulso dos enigmas verbais postos pelo texto a sua interpretação.

Veja-se este texto de Meireles (1972, p. 729-30), em que a tessitura sonora reforça o sentido dos vocábulos e imagens repetidas e invertidas, numa brincadeira palindrômica e de intercâmbio fônico que apresenta uma visão do luar e do aro da roda de Raul totalmente imbricados, num momento de encantamento lírico, desinteressado de tudo e valendo por si mesmo, que dificilmente ocorreria na percepção da criança de seus próprios jogos.

A LUA É DO RAUL

Raio de lua.
Luar.
Luar do ar
azul.

Roda da lua.
Aro da roda
na tua

rua,
Raul!

Roda o luar
na rua
toda
azul.

Roda o aro da lua.

Raul,
a lua é tua,
a lua da tua rua!

A lua do aro azul.

Manifestando ao pequeno leitor as possibilidades de combinação de significantes e significados da língua que lhe é familiar, cria-se uma descrição totalmente inusitada de objetos comuns de sua realidade, com o emprego de matéria linguística também muito conhecida. Além disso, há a captura do leitor não só na rede de sonoridades, mas na apresentação, em meio a uma cena idílica, de um garoto a quem o sujeito lírico chama a atenção para o que está acontecendo por um recurso atrativo tal como a simbiose lua-roda, no plano das imagens e da entonação vocativa e exclamativa, no plano fraseológico. Isso sem mencionar que Raul, o personagem suporte da identificação do leitor, é um palíndromo de luar, o que fecha todas as saídas à distração no que tange ao discurso.

Convém lembrar, entretanto, que a poesia *não* é escola, não quer *ensinar* a linguagem e não suporta ser tratada como objetivo de estudo gramatical. É Jesualdo Sosa (1978, p. 178) que historia a relação poesia – escola como um recurso ancilar depreciado:

> a poesia em geral – e mais raramente a poesia lírica – não penetrou na escola a não ser às costas do canto, ou do tímido recitativo, gênero no qual, com frequência, chegou ao exagero. Não foi, porém, somente nesses dois serviços que ela esteve presente. Além de sua estrita função moralista, na exaltação do patriotismo (...) prestou-se também à simples função de proporcionar leitura.

A tendência utilitarista da escola, que não reflete senão os interesses do regime social que a sustenta e transforma a experiência do poético em mero exercício de habilidades de leitura, desveste o poema de suas potencialidades específicas como forma estática de conhecimento. Com efeito, na poesia, o aprendizado possível se produz pela própria estrutura do poema, que seduz e estimula o leitor fisicamente pelos ritmos e efeitos acústicos e intelectual e afetivamente pelas representações ou vivências da consciência que suscita. É evidente que a conscientização da linguagem, portanto, origina-se do contato leitor-criança/poema infantil em situação estética e não prática, como é a da escola, que pode transformar o poema em mercadoria a ser conquistada pela moeda da gramática para a proficiência linguística de um pequeno consumidor encaminhado para vencer no mundo e não para simplesmente conviver com ele.

É discutível, aliás, que a pura exposição ao poema incremente a consciência linguística na infância. Essa consciência, diz-nos a sociolinguística, se forma no convívio social, antes de tudo, nos enfrentamentos com o outro, que obrigam o falante a refinar seus meios expressivos para dar conta das tensões da vida em sociedade. A função da poesia, bem como da arte literária em geral, não é aperfeiçoar o domínio da linguagem, mas, por meio da linguagem, permitir ao sujeito um distanciamento crítico da *realidade* que ela lhe apresenta à consciência.

No poema de Lisboa (1984, p. 14), esse questionamento do horizonte existencial do leitor se faz a partir de um diálogo ficcional, que opõe duas forças em disputa, a prudência adulta e a vitalidade infantil, dando ganho de causa à última, com o uso de ritmos exclamativos e exortativos regulares e entonação ascendente:

TEMPESTADE

– Menino, vem para dentro,
olha a chuva lá na serra,
olha como vem o vento!

– Ah! como a chuva é bonita
e como o vento é valente!

– Não sejas doido, menino,
esse vento te carrega,
essa chuva te derrete!

– Eu não sou feito de açúcar
para derreter na chuva.
Eu tenho forças nas pernas
para lutar contra o vento!

> E enquanto o vento soprava
> e enquanto a chuva caía,
> que nem um pinto molhado,
> teimoso como ele só:
>
> – Gosto de chuva com vento!
> gosto de vento com chuva!

Sem dúvida, um poema como esse desafia a própria aceitação da criança leitora das razões dos adultos. Obriga-a a repensar seus esquemas de valores, sem que a interpretação escolar possa influir muito sobre as conclusões. A valorização da teimosia é obtida não só pelo desfecho temático mas também pela regularidade da versificação em redondilha maior, das curvas melódicas, contrariada pelo tom crescentemente afirmativo da voz infantil representada no texto.

Essa é a verdadeira possibilidade de coexistência entre poesia e escola: a de que o poema possa dizer-se, para que o aluno também o possa. Num regime escolar em que só interessa a informação assimilada, isso não ocorre. Magalhães (Zilberman & Magalhães, 1982, p. 40), revisando criticamente o papel da escola em relação à poesia, chega à constatação de que, se não se deseja sufocar a poeticidade dos textos, deve-se permitir que a criança brinque com a língua, o que o poema proporciona em maior grau do que qualquer outro discurso. Diz ela que se trata

> tão somente de pretender que a criança tenha com a língua uma experiência que lhe permita tomar consciência de que esta lhe oferece possibilidades, não apenas a relação passiva entre língua e falante, mas possibilidade

de uma experiência lúdica com o fenômeno linguístico. Esta posição abala a escola em suas bases, porque exige que o aluno seja aceito como sujeito, que tenha direito à palavra, que seja um indivíduo pleno e não apenas um intelecto. O lugar e a função da poesia na escola seriam, portanto, através de um poder sobre a língua, conduzir a criança ao poder de dizer e de se dizer.

Esse comportamento em relação ao poema, entretanto, não é o mais frequente, como se pode notar na seleção de poesia brasileira que os livros didáticos oferecem ou nos exercícios que seguem os textos. Pseudopoetas ombreiam-se a poetas genuínos, os textos sobre a natureza, as datas cívicas e o bom menino concorrem com os de Drummond, Vinicius, Cecília e outros. Com eles deve-se fazer pesquisa de vocabulário, versificação ou tropos, respondendo a perguntas do tipo o-que-o-poeta-quis-dizer com o verso X ou a estrofe Y. Descontando-se a intenção de veicular poesia de lavra própria ou de extração pedagógica, o que ainda sói acontecer nos livros de comunicação e expressão, pode-se até admitir que o professor-autor esteja preocupado em informar *sobre* a linguagem e a fornecer instrumentos básicos para a análise textual, como ao pedir que o aluno encontre três metáforas no poema Z. Entretanto, esse tratamento de fora só serve para transformar a leitura de poesia em charada sem atrativos e acentua a tendência à sacralização do poema como algo misterioso, cifrado por recursos de linguagem que só pertencem aos eleitos e que veicula uma transcendência oculta ao comum dos mortais.

Poesia, porém, não é sinônimo de epifania mística da Verdade, nem é mero jogo sibarita com sons e imagens, para o lazer do intelecto e das emoções. Poesia, mesmo destinada a crianças, é arte que mostra o homem ao homem, em todas as suas possibilidades. É esse poder da palavra poética que a escola por vezes esquece, temerosa de ver contestadas suas bases no *establishment*.

Pense-se no que significaria a leitura na escola de um poema como o de Dinorah (1986, p. 15), que, numa linha inédita de denúncia social em poesia infantil, de repente propõe um devaneio liricamente metafórico para solucionar, no plano temático, uma situação de desvalia, identificável pelo leitor--criança como fielmente retratada a partir de condições sociais conhecidas. Quando esse leitor embarca no sonho do herói que fala no texto, eis que a brincadeira se acaba no verso final, rementendo-o de volta ao mundo hostil que ele não pode equacionar com suas forças infantis:

CANÇÃO DO MENINO

Pra falar a verdade,
nunca tive um pijama.
Pra quê,
se nunca tive cama?

Verdade verdadeira,
nunca tive um brinquedo.
Apenas tive medo.

Mas hoje há tanto frio,
tanta umidade,

> que invento um cobertor
> de sol poente,
> e um pijama de sonho
> em cama quente.
>
> É bom brincar de gente.

Um texto como esse, que condensa sua denúncia também nos padrões rítmicos, ora secos, ora dolentes, na dureza aliterativa dos *qq*, *vv*, e *gg*, em contraste com o lamento onipresente dos *nn* e *mm*, projeta um mundo de significações com o qual o leitor-criança pode ou não se identificar afetivamente, mas diante do qual não pode alegar incompreensão ou indiferença porque a convenção linguística adotada é a do realismo que se quer transparente de modo que leve o entendimento direto às coisas, se bem que subterraneamente o discurso se torne melódico para conquistar a adesão a si pelo sentimento.

No âmbito escolar, todavia, é provável que um poema assim não fosse selecionado e discutido ou que, se viesse a ser introduzido numa escola progressista, por exemplo, fosse analisado em cotejo com visitas a favelas ou pesquisas jornalísticas ou de pessoas – fontes, as quais, pela proximidade com o real concreto, acabariam por obscurecer sua força lírica em favor de uma informação sociológica apenas para o intelecto e não para o aluno em sua integralidade.

A seleção e o trabalho com poesia junto à criança não podem ignorar, portanto, a função do poema infantil de mobilizar integralmente a criança leitora, graças à presentificação dos signos linguísticos em termos lúdicos, independentemente dos temas que aborda. Pela ficcionalidade produzida pela "atenção concentrada nos signos", o poema opera um distanciamento crítico em seu receptor com relação ao mundo das representações em que ele está imerso e que precisa discriminar. Faz isso, todavia, não renunciando ao prazer do imaginário, à exploração estética de possibilidades fora do alcance da experiência efetiva, porque a linguagem assim lhe faculta, apropriando-se do mundo e deixando-o numa reserva de sinais que podem reconstruí-lo e remodelá-lo para a consciência. Ao jovem leitor, cumpre antes de tudo o direito a essa experiência na sua especificidade, não substituída por outras atividades não linguísticas que pertencem a áreas diversas da arte e da cultura humana.

Por isso, a leitura do poema, seja espontânea, seja escolar, não pode sufocar a dimensão lúdica inerente ao poético, a gratuidade prazerosa com que, parafraseando Heidegger, o ser passeia na sua morada, a linguagem, pastoreado pelo poeta. Poesia, para uma criança, deve ser brincadeira que traz admiração e gozo, não a sensação de intangibilidade e distância inacessível. Merriam (Larrick, 1975, p. 105), transforma essa ideia num poema que deveria ficar exposto em livrarias e nas salas de aula e que encerra esta conversa:

COMO SE COME UM POEMA

Não seja polido.
Morda.
Pegue com os dedos e lamba o suco que vai
/lambuzar o seu queixo.
Ele está pronto e no ponto agorinha, quando
/você estiver.

Não precisa de faca nem garfo ou colher
ou prato, guardanapo ou toalha de mesa.
Pois não tem coração
nem talo
ou casca
ou caroço
ou semente
ou pelezinha
pra jogar fora.

It doesn't always have to rhyme

Bibliografia

CAPARELLI, Sérgio. *Restos de arco-íris*. Porto Alegre: L&PM, 1985. (Coleção Jovem L&PM).

CARROLL, Lewis. *Aventuras de Alice no país das maravilhas* e outros textos. Tradução de Sebastião Uchoa Leite. Rio de Janeiro: Fontana/Summus, 1977.

CIÇA. *Bichos, bicho!* Ilustrações de Ziraldo. São Paulo: FTD, 1985. (Coleção Primeiras Histórias).

DINORAH, Maria. *Panela no fogo, barriga vazia*. Ilustrações de Leonardo Menna Barreto Gomes. Porto Alegre: L&PM, 1986.

ISER, Wolfgang. Problemas da teoria da literatura atual. In: LIMA, Luiz Costa (Org.). *Teoria da literatura em suas fontes*. 2. ed. Rio de Janeiro: Francisco Alves, 1983. v. 2.

JAKOBSON, Roman. *Linguística e comunicação*. São Paulo: Cultrix, [s.d].

JOSÉ, Elias. *Lua no brejo*. Ilustrações de Marco Cena. Porto Alegre: Mercado Aberto, 1987. (O Menino Poeta).

LISBOA, Henriqueta. *O menino poeta*. Ilustrações de Leonardo Menna Barreto Gomes. Porto Alegre: Mercado Aberto, 1984. (O Menino Poeta).

MEIRELES, Cecília. Ou isso ou aquilo. In: *Obra poética*. Rio de Janeiro: Aguilar, 1972.

SOSA, Jesualdo. *A literatura infantil*. São Paulo: Cultrix/Edusp, 1978.

TOLEDO, Dionísio (Org.). *Círculo linguístico de Praga:* estruturalismo e semiologia. Porto Alegre: Globo, 1978.

ZILBERMAN, Regina; MAGALHÃES, Lígia C. *Literatura infantil:* autoritarismo e emancipação. São Paulo: Ática, 1982.

COLEÇÃO LEITURA E FORMAÇÃO

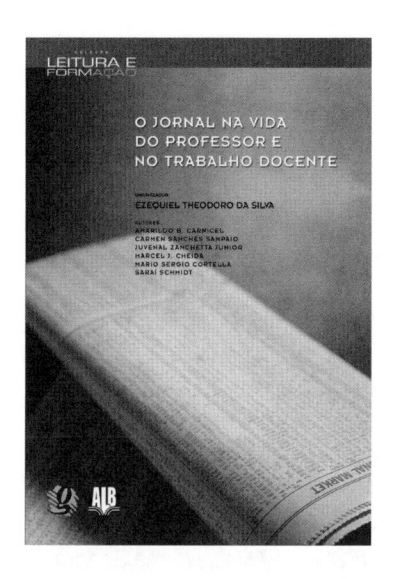

O jornal na vida do professor e no trabalho docente
Organizador: Ezequiel Theodoro da Silva
Autores: Amarildo B. Carnicel, Carmen Sanches Sampaio, Juvenal Zanchetta Junior, Marcel J. Cheida, Mario Sergio Cortella, Saraí Schmidt

Literatura e pedagogia: ponto & contraponto
Regina Zilberman e Ezequiel Theodoro da Silva

Leituras aventureiras: por um pouco de prazer (de leitura) aos professores
Ezequiel Theodoro da Silva

Leitura na escola
Organizador: Ezequiel Theodoro da Silva
Autores: Ariane Soares Milagres, Carlos Eduardo de Oliveira Klebis, Cláudia Lúcia Trevisan, Daniela Cristina de Carvalho, Eliane Pszczol, Mirian Clavico Alves, Norma Sandra de Almeida Ferreira

Criticidade e leitura: ensaios
Ezequiel Theodoro da Silva

Escola e leitura: velha crise, novas alternativas
Organizadoras: Regina Zilberman e
Tania M. K. Rösing
Autores: Ezequiel Theodoro da Silva, Graça Paulino, José Luís Jobim, José Luiz Fiorin, Maria da Glória Bordini, Marisa Lajolo, Miguel Rettenmaier, Regina Zilberman Rildo Cosson, Tania M. K. Rösing

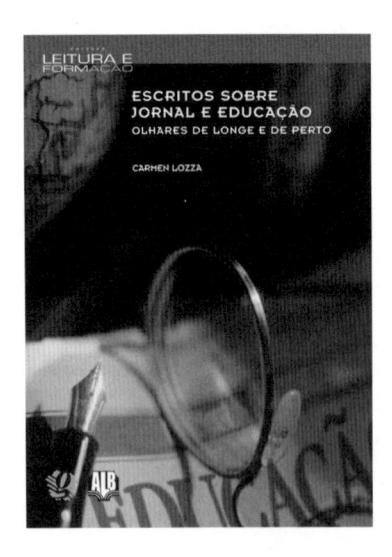

Escritos sobre jornal e educação:
olhares de longe e de perto
Carmen Lozza

Leitura e desenvolvimento da linguagem
Autores: Ana Luiza B. Smolka, Ezequiel Theodoro da Silva, Maria da Glória Bordini, Regina Zilberman

Educações do olhar: Leituras – volume I
Organizadores: Carlos Miranda, Gabriela Rigotti

Educações do olhar: Leituras – volume II
Organizadores: Carlos Miranda, Gabriela Rigotti

A casa imaginária: Leitura e literatura na primeira infância
Yolanda Reyes

Impressão e Acabamento
Bartira
Gráfica
(011) 4393-2911